mentes
ansiosas

FONTANAR

Ana Beatriz Barbosa Silva

mentes ansiosas

MEDO E ANSIEDADE ALÉM DOS LIMITES

FONTANAR

EDITORA OBJETIVA LTDA.
Rua Cosme Velho, 103
Rio de Janeiro — RJ — CEP: 22241-090
Tel.: (21) 2199-7824 — Fax: (21) 2199-7825
www.objetiva.com.br

Capa
Dupla Design | Ney Valle

Imagem de capa
iStockphoto/ © Viktor Pravdica

Ilustração de miolo
Margareth Baldissara

Revisão
Rita Godoy
Bruno Fiuza
Tamara Sender

Editoração eletrônica
Abreu's System Ltda.

CIP-BRASIL. CATALOGAÇÃO-NA-FONTE
SINDICATO NACIONAL DOS EDITORES DE LIVROS, RJ

S578m

Silva, Ana Beatriz B. (Ana Beatriz Barbosa)
Mentes ansiosas : medo e ansiedade além dos limites / Ana Beatriz Barbosa Silva - Rio de Janeiro : Objetiva, 2011.
il.

206p. ISBN 978-85-390-0294-8

1. Ansiedade. 2. Transtornos da ansiedade. I. Título.

11-5337. CDD: 616.8522306
CDU: 616.89-008.441-085

SUMÁRIO

A Mirian Pirolo,
minha amiga de ofício, de valores, de fé e de coração.

QUEM NUNCA SENTIU MEDO QUE ATIRE A PRIMEIRA PEDRA

— Tiiia, qual a diferença entre medo e ansiedade?

— Onde é que você viu isso?

— No papel com a sua letra no seu escritório.

— Ah, bom! Então vamos lá: medo é algo que a gente teme e tenta evitar, por exemplo, medo de altura, do escuro etc. Já a ansiedade é uma sensação ruim que aperta o peito da gente.

— Hum, entendi. Então, criança tem medo e adulto tem ansiedade, pois tem vergonha de dizer o que lhe causa medo.

— Pode ser.

— Tiiia, posso dormir com você?

— Por quê?

— Porque tenho medo de escuro e de monstros.

— Tá bom! Vem pra cá pertinho.

— Tiiia, se você sentir ansiedade, pode apertar minha mão, tá?

— Pode deixar, meu anjo, eu já estou apertando a sua mão.

Nesse dia, no auge dos seus 7 anos, meu sobrinho, Guiguinho, me ensinou que todo mundo tem medo e ansiedade, não importando a idade que se tenha. Medo e ansiedade são "primos-irmãos" e sempre estarão juntos.

As palavras maltraçadas a seguir são pra você, meu lindo! Nossas mãos estarão sempre entrelaçadas, nos dando coragem para enfrentar os desafios da vida.

Beijos com amor.

Tia Ana.

* * *

Quer saber de uma coisa? Todo mundo tem medo, uns têm medinhos, outros medões, mas no fundo tudo é medo puro e simples. Sentimos medo de manhã, às vezes à tarde e muito mais à noite, não necessariamente nessa ordem.

Medo de não ver o pôr do sol, de não poder ir à praia no domingo, de jogar a bola para fora do gol, da areia quente, de que o chope esquente ou a onda se arrebente.

Medo de cair, de sair, de se divertir, da felicidade, da fatalidade, da bala perdida, da fome, de ter e de perder, seja lá o que for!

Medo de trair e ser traído, de perder o grande amor, de amar e não ser amado, de dizer adeus, de partir, de mudar, de renovar, de dizer eu te amo!

Medo de bruxa, do escuro, do bicho-papão, do vento, da ventania, do relâmpago e do trovão.

Medo da morte: a sua, a do seu amigo, a do seu filho e a dos seus pais.

Medo de esquecer o que foi bom, de enlouquecer, de não viver, do prazer, de querer sempre mais e nunca mais parar de querer.

Medo do terror, dos terroristas, dos que manipulam os horrores humanos, dos que adoram o poder, de não poder com esse tipo de gente.

Medo de envelhecer, das rugas, dos cabelos brancos, da osteoporose, da menopausa, da calvície, de virar pó e da certeza de que a vida é uma só.

Medo de experimentar coisas novas, umas melhores e outras piores, mas o que vale é o movimento, somente o que está morto não se move.

Medo de olhar no espelho, do fracasso, da decadência, da não reação, do marasmo, da acomodação.

Medo de falar a verdade, de não ter verdades pelas quais lutar, de magoar, de brigar, de perdoar.

Medo de não ter o filho desejado, de não vê-lo crescer, de vê-lo adoecer, de não vê-lo feliz.

Medo do chefe que grita, que não elogia, que não explica, que não brinca, que só xinga, que assedia.

Medo da solidão, da rejeição, do telefone que não toca, da palavra não dita, do "mico" não pago, da alucinação da paixão, do beijo não roubado, da dor do amor não correspondido, das velas não apagadas, do grito não ecoado depois do sexo em perfeita comunhão.

Medo da diferença, da indiferença, da arrogância, do desprezo, da ignorância, do preconceito, do politicamente correto, do jeitinho brasileiro, da corrupção, da inflação, da humilhação, da falta de profissionalismo dos políticos, da inveja, da tristeza, das escolhas, do seu corpo, do passado, do presente e do futuro.

Medo de gastrite, otite, sinusite, faringite, meningite, hepatite, celulite e tudo o que é "ite".

Medo da responsabilidade, da liberdade, da igualdade, da fraternidade, do recomeço, de cantar, de dançar, das crenças, das encrencas, de dar e receber opinião, de ter voz e voto, de não ter voz e voto, de aturar gente de má índole, de má vontade e sem educação.

Medo de casar, de se divorciar, de casar de novo, de não poder mais voltar. Medo de se perder, de endurecer o coração, de não sonhar e de nunca mais se achar.

Medo de errar, de não ter o que dizer, de falar demais, de se calar diante da covardia, de engolir o choro da emoção, de não crer e não ter fé em Deus, em si e na vida.

Medo da enchente, de não gostar de gente, do ladrão, de não ser o único e virar nenhum na multidão.

Medo de pensar "inho" e acabar tendo uma vidinha cercada de gentinha, de perder o emprego, de nunca mudar de emprego por puro medo da mudança, medo da mediocridade e da maldade.

Medo da ditadura, do neoliberalismo, do comunismo, do nazismo, do radicalismo, da guerra, da bomba de Hiroshima, de Nagasaki, do tsunami, do Katrina, do terremoto, da chacina, da rebelião, do vandalismo, da escravidão, da sofreguidão, da falta de poesia, da realidade nua e crua.

E, por fim, o medo de não ter coragem para enfrentar tudo isso, mesmo que isso não tenha fim...

Ana Beatriz Barbosa Silva

INTRODUÇÃO

Era junho de 1999 e ainda me lembro da situação como se fosse hoje, ou melhor, aqui e agora! Basta fechar os olhos que a fatídica cena se manifesta num telão virtual na minha mente. Sentados à mesa de um agradável café de Ipanema, estávamos eu, meu marido, minha cunhada e um casal de amigos muito querido. O final de tarde estava extremamente agradável, com uma leve brisa e uma luminosidade avermelhada dos típicos dias de sol no outono carioca.

Todos ríamos muito, embalados por algumas taças de excelente vinho indicado pelo casal amigo. Além disso, havia uma bela trilha sonora ao fundo com o "fino" da bossa nova, adocicando nossos ouvidos e corações. Não pude deixar de citar a célebre história que Vinicius de Moraes contava para definir São Paulo. Após ser muito bem tratado em "Sampa" e curtir a boemia da maior cidade do país, perguntaram a Vinicius o que ele estava achando da cidade. O "poetinha", após refletir entre uma dose de uísque e três tragadas de cigarro, respondeu: "Estou adorando São Paulo, tudo muito grandioso, organizado, boas pessoas, bons restaurantes, ótima vida noturna e cultural... mas tem um problema: a gente anda e anda e nunca chega em Ipanema!"

Tudo estava mais do que perfeito! Era sexta-feira e todos davam muitas risadas com os "causos" engraçados que cada um de nós contava. O local estava apinhado de gente que parecia também estar se divertindo bastante. Tudo realmente parecia perfeito! Até hoje não sou capaz de descrever, exatamente, como tudo começou...

De repente o garçom se aproximou da mesa ao nosso lado, e minha amiga Lena, que estava de mãos dadas com o marido João, arregalou os olhos, subiu na própria cadeira e, petrificada, pálida e com as mãos trêmulas, tentava sufocar o grito que ameaçava sair estrondoso por sua boca. João, que já tinha vasto conhecimento do pavor que sua mulher tinha por insetos, e totalmente aflito com a situação, perguntava insistentemente: "Cadê, onde está? Não estou vendo, me mostre..." Totalmente paralisada, Lena não conseguia juntar "a com b", balbuciar qualquer sílaba ou palavra, e tampouco apontar para o ser aterrorizante.

O garçom nem se dera conta de estar carregando, em seu ombro esquerdo, uma barata; diga-se de passagem, um exemplar bastante avantajado para a média da espécie. Quando ele acabou de servir a mesa ao lado e se virou em nossa direção, gentilmente querendo saber o que poderia fazer para nos ajudar, tudo piorou bastante.

Nesse exato instante, o inseto resolveu fazer um voo social pelo ambiente, indo parar no cabelo de uma pobre senhora que tomava um cappuccino numa mesa à nossa frente. Quando a "senhorinha" se deu conta da personagem que abrigava em suas madeixas, entrou em pânico: gritava, debatia-se e alvoroçava os cabelos de forma frenética, tentando se livrar daquele bicho tão invasivo e sem educação.

A gritaria se generalizou, cadeiras caíam, gente corria, formando uma verdadeira clareira ao redor daquela senhora que, por um instante, lembrou-me uma vocalista de banda de rock.

A maioria das pessoas foi parar na calçada, em frente ao café, inclusive nós. Mas, de repente, nos demos conta de que Lena e João não estavam conosco. Entramos novamente no café, agora vazio, e lá estava ela, em pé na cadeira, toda encolhida, numa atitude reflexa de proteção. João sapateava para lá e para cá, fazendo, literalmente, a "dança da barata". De súbito, uma pisada certeira e "pimba": "tá lá o corpo estendido no chão" – ou melhor, a barata morta. Em segundos, o café encheu novamente, e João recebeu uma salva de palmas, com direito a assobios e tapinhas nas costas. Nascia um herói em pleno café de Ipanema!

É claro que ao recordar ou contar essa história me pego dando boas e gostosas risadas. Por outro lado, fico perplexa e bastante intrigada com o tamanho e a intensidade da reação que algumas pessoas tiveram naquele dia. Não era um simples medo ou nojo daquele inseto: era pavor, terror mesmo, o que tomou conta da minha amiga, da "senhorinha" e de mais algumas pessoas que não pude observar com clareza, dada a velocidade e intensidade dos eventos ao meu redor.

Reconheço que as baratas são verdadeiras pragas, insetos asquerosos e repugnantes para muita gente; no entanto, são incapazes de nos devorar feito feras famintas.

Confesso que sempre me interessei pelo comportamento humano e, por isso mesmo, o medo, as fobias e a ansiedade sempre me despertaram, além de curiosidade, muitos questionamentos existenciais. Em função disso, há muitos anos venho dedicando parte do meu tempo a me aprofundar nesse universo tão intrigante. Até que ponto o medo é necessário para a nossa sobrevivência? Qual a dose de medo saudável, se é que ela existe? O medo é sempre algo que nos protege? Quando é que ele vira uma doença?

Segundo o professor Isaac Marks, da Universidade de Londres, é praticamente impossível para nós, seres humanos, vivermos sem medo. E, para provar isso, ele cita situações cotidianas, presentes na vida de todos nós, como o simples ato de atravessar uma rua. O medo de ser acidentado ou atropelado por um automóvel faz com que olhemos de um lado para o outro da rua, antes de nos lançarmos à travessia. Dessa forma, o medo, em uma medida certa, deve ser entendido como uma função do comportamento humano saudável, necessária e imprescindível para a proteção do ser humano diante dos perigos que o rodeiam.

Por isso, é absolutamente normal que tenhamos medo de ser assaltados ou atingidos por uma bala perdida; sofrer algum tipo de violência, injustiça ou de perder alguém muito querido. Nessas situações, é natural e provável que todos sintam medo em determinada "dose" (ou intensidade). "Dose" exata para evitar qualquer tipo de ação que venha a aumentar o perigo e a exposição às situações de ameaça (como bancar o valentão durante um assalto) ou, ainda, para tomar uma atitude coerente, visando reduzir os riscos da situação de perigo (como abrigar-se em local seguro ou deitar-se no chão durante um tiroteio). Como tudo na vida, o medo também requer uma dose ideal de equilíbrio: nem demais, nem de menos; apenas adequado para a prevenção de perigos iminentes.

Todos já ouvimos o velho ditado popular: "Aonde vai a corda, vai a caçamba" – quando alguém quer se referir a pessoas ou objetos que vivem juntos, de forma quase inseparável. Expressões semelhantes – tal como "feijão com arroz", "futebol e bola", "Piu-Piu e Frajola", "Batman e Robin" – surgiram sempre com a intenção de destacar a íntima relação entre ideias, conceitos ou sentimentos. Nesse aspecto, o medo e a ansiedade formam uma parceria tão íntima que não há possibilidade de imaginarmos ou sentirmos um sem o outro – como anunciam as expressões populares.

Para que o leitor entenda melhor, encontramos no dicionário a seguinte definição para a palavra medo: "Sentimento de grande inquietação ante a noção de um perigo real ou imaginário." De forma muito semelhante, a palavra ansiedade é definida como "sensação de receio e de apreensão, sem causa evidente"; sinônimo de ânsia, aflição: "perturbação de espírito causada pela incerteza ou pelo receio".

Embora sejam definições técnicas, são importantes para percebermos a impossibilidade de distinção entre as duas palavras. Sendo assim, sempre que o medo está presente, a ansiedade se revela em plenitude, seja em evidentes sinais físicos, seja em sintomas psíquicos. O grande problema é quando essa duplinha inseparável (medo-ansiedade) foge de um padrão equilibrado e se torna incontrolável.

Como tudo em medicina recebe nomes específicos, com direito a sobrenomes, foram denominados *transtornos de ansiedade* quando o medo excessivo e, consequentemente, a sua fiel companheira ansiedade passam a trazer prejuízos expressivos para a vida da pessoa.

Os transtornos de ansiedade possuem diversos espectros que variam em grau, intensidade e na forma como se apresentam. Podemos percebê-los em diversas situações, tais como nas lembranças que insistem em nos perseguir após uma experiência traumática (morte de um parente muito próximo, por exemplo); nas fobias ou no medo intenso de falar em público ou participar de eventos sociais; no temor exacerbado de determinados objetos ou animais (elevador, avião, insetos, como vimos com a minha amiga Lena). Também são perceptíveis no terror (pânico) que surge do "nada" e nos dá a sensação de que podemos morrer a qualquer momento; nas preocupações excessivas com os fatos mais corriqueiros e triviais; nos pensamentos obsessivos e comportamentos repetitivos, mais conhecidos como manias, entre outros. Cada um desses transtornos tem características e manifestações distintas, mas todos estão intrinsecamente relacionados ao medo e à ansiedade.

Em graus variados, quando os transtornos de ansiedade já estão instalados, inevitavelmente trarão prejuízos significativos para os setores vitais de suas vítimas (vida social, familiar, profissional, acadêmica etc.). Contudo, somente após muito tempo de sofrimento, de peregrinações em vão – entre as mais variadas especialidades médicas e não médicas –, ou quando suas vidas já estão reviradas pelo avesso, é que os pacientes procuram ajuda especializada.

A demora para buscar o tratamento adequado se deve a muitos fatores, mas também posso afirmar, sem nenhum receio de incorrer em erros estatísticos, que a maioria o faz por falta de conhecimento sobre o assunto, pelo sentimento de vergonha em expor tudo o que o aflige ou pela crença errônea de que se trata de mera fraqueza.

A ideia de escrever este livro surgiu exatamente em função disso: oferecer informações sobre os transtornos deflagrados pelo sentimento de medo excessivo, visando facilitar a autoidentificação ou o reconhecimento em pessoas próximas e queridas, no sentido de abreviar seus sofrimentos.

Felizmente, é possível reverter esses quadros tão dolorosos ou, no mínimo, atenuá-los de forma expressiva, com orientações e tratamentos adequados. Isso significa muito mais do que enfrentar o inimigo que aparentemente pareça invencível.

É restaurar as perdas nos seus diversos setores vitais, libertar-se, renascer e, quem sabe, projetar um futuro próximo de mais confiança e esperança, para que seja possível desfrutar a vida em sua plenitude.

Quando está escuro
E ninguém te ouve
Quando chega a noite
E você pode chorar
Há uma luz no túnel
Dos desesperados
Há um cais de porto
Pra quem precisa chegar
Eu tô na Lanterna
Dos Afogados
Eu tô te esperando
Vê se não vai demorar

HERBERT VIANNA — Lanterna dos Afogados

CAPÍTULO 1

ANSIEDADE E MEDO: DUAS FACES DA MESMA MOEDA

Desde pequena possuo um sonho. Para ser mais precisa, um pesadelo, que se repete de tempos em tempos, principalmente quando atravesso períodos mais estressantes. Nesse sonho chego à escola, e uma amiga me informa que dentro de 5 minutos a prova vai começar. Faço um sinal positivo com a cabeça, que demonstra minha tranquilidade em realizar a prova de História, minha matéria predileta. Em poucos minutos, estamos todos sentados em nossas carteiras e aí inicia o pesadelo: a prova é de Matemática e não de História! Em total despreparo diante do inimigo, olho ao redor e tudo me parece estranho. Meu coração dispara, a respiração torna-se entrecortada, a face banha-se de suor, sinto tontura e de repente... acordo atordoada, olho em volta e constato, com imensa felicidade, que estou em território seguro: meu quarto, o marido ao meu lado e a cachorrinha em sua cama. O ar condicionado se encarrega de secar o suor e, aos poucos, tudo volta ao normal. Foi apenas um sonho ruim, nada mais, daqueles que costumava ter às vésperas de provas.

Muitos anos já se passaram desde então; no entanto, é impressionante perceber a precisão com que meu cérebro arquivou essa reação, que foi uma das primeiras situações de medo consciente que vivenciei ainda pequena. A cada fase da vida, quando os desafios e compromissos me obrigam a lidar com prazos restritos, lá está meu cérebro – esse operário incansável –, sinalizando que a minha ansiedade está no limite máximo. É hora de tomar decisões que dissolvam os "nós" existenciais ou ignorar o sinal de alarme e esperar que a ansiedade cresça um pouco mais e me paralise de alguma forma. Afinal, a ansiedade possui diversas facetas, e todas, a partir de determinada "quantidade", mostram-se disfuncionais, modificando negativamente nosso cotidiano, transtornando nossa vida e, até mesmo, nos paralisando diante de tudo e de todos.

É claro que, como boa aluna, tento captar rapidamente a mensagem do mestre cérebro: dou uma parada, faço um flashback básico dos últimos meses e logo identifico o que está me aprisionando. Monto um microprojeto, de curto e médio prazo, com as ações necessárias para que o sonho (aviso) não se transforme em pesadelo real.

Hoje constato, com bastante frequência, que sonhos com exames escolares são muito comuns entre as pessoas. Diria até que esses são um dos casos mais comuns de situações que provocam ansiedade. Não há dúvida de que muitas pessoas já enfrentaram esse tipo de situação, seja em sonho, seja na vida real, em que provas escolares ou entrevistas de emprego estejam envolvidas. A maioria delas relata que já acordou na véspera de um exame importante com a respiração acelerada, o corpo suado e que passou o resto da noite se revirando na cama. E mais: muitas ainda salientam o fato de que chegaram ao local do exame ou entrevista convictas de não saberem mais nada sobre o que estudaram durante todo o processo preparatório. Sentem que todos os seus esforços, por dias, semanas ou meses, serão perdidos com o irremediável e inexplicável "branco total" do conteúdo estudado. O pior é que, ainda que tudo venha a dar certo, ou seja, obtenham a pontuação necessária e/ou desejada nas provas ou entrevistas, será muito difícil esquecerem o lado "ameaçador" dessa experiência. Isso ocorre em função de o nosso organismo ser dotado de um mecanismo pré-programado de proteção, conhecido como "reação do medo", que acompanha a espécie humana desde os tempos mais primitivos.

A REAÇÃO DO MEDO: REAÇÃO DE LUTA OU FUGA

O corpo humano talvez seja a mais criativa e surpreendente invenção de todo o universo. Nosso corpo parece ter sido planejado para nos salvar e nos ajudar a lidar com todo tipo de perigo. Em pequenos fatos do cotidiano podemos ver o quanto essa máquina é programada para nos manter em equilíbrio.

Tomemos como exemplo um corte no braço. Em poucos minutos, o corpo reconhece que há um ferimento e aciona uma série de reações mecânicas e bioquímicas que fazem o corte parar de sangrar. Quando o sangue entra em contato com o ar, reage de maneira diferente e começa a coagular. O sangue fica cada vez mais espesso e, em pouco tempo, uma crosta está formada, tamponando totalmente o sangramento provocado pelo ferimento. Depois de alguns dias, essa crosta cai, e toda a área que estava abaixo dela se encontra sadia novamente.

O mesmo mecanismo de proteção é acionado quando nos engasgamos com algum tipo de comida ou bebida. O engasgo sinaliza que algo sólido ou líquido entrou no local errado. No caso, esse local é a traqueia, que é um tubo capacitado para levar o ar inspirado pelo nariz ou pela boca em direção aos pulmões. A traqueia não transporta outro tipo de substância que não seja gasosa. Assim, quando engasgamos, automaticamente tossimos e regurgitamos, e a comida ou a bebida é lançada para fora da traqueia com grande velocidade. Continuamos a tossir, até que os visitantes indesejados (comida e/ou bebida) estejam totalmente fora da nossa traqueia. Tanto no caso do ferimento como no caso do engasgo, tudo ocorre de forma automática, como uma máquina perfeita. Não importa se estamos dormindo ou acordados, se somos ricos ou pobres, geniais ou de inteligência limitada: nosso corpo fará tudo para nos socorrer, automaticamente.

Um tipo de proteção automática do corpo é a reação do medo. Imagine-se andando por uma rua estreita e, de repente, avançam em sua direção dois cachorros da raça *bull terrier*, que rosnam, expondo seus dentes brilhantes entre a saliva que escorre por suas mandíbulas. Se você, por um acaso, quisesse racionalizar o que fazer, provavelmente processaria os seguintes pensamentos: *Eles são cachorros; são ferozes; estou em perigo! O que devo fazer? Acho que devo correr!*

Bem, se você pensasse tudo isso antes de correr, possivelmente já estaria morto e dilacerado, antes mesmo de concluir seus pensamentos. Mas fique tranquilo, pois, nessa situação, seu corpo reagiria automaticamente, de maneira ultrarrápida, e você já estaria correndo há muito tempo. Provavelmente já teria se abrigado em algum lugar seguro.

Sem você se dar conta, uma overdose de adrenalina é injetada na corrente sanguínea e, a partir daí, toda uma reação se processa naturalmente: o coração dispara, o suor toma conta da pele, os músculos se contraem para entrar em ação, a respiração se torna mais acelerada e, sem que tenha tempo de pensar, em frações de segundos, você estará correndo como um leopardo ou lutando com os cachorros como uma fera enlouquecida. Esta é a reação do medo que existe para nos salvar de todos os perigos.

Em princípio, o instinto nos leva a correr como o vento para fugirmos dos cachorros. Após muitos metros de corrida, encontramos um local seguro e ali permanecemos até termos certeza de que os animais não estão mais nos seguindo. Paramos, sentamos no chão e percebemos que nosso corpo está totalmente alterado: o coração bate forte e rápido; a respiração está acelerada e profunda; trememos e suamos por todo o corpo; a boca está seca como uma pedra; estamos tontos; nossas mãos e pés estão formigando; estamos tensos, alertas e vigilantes contra novos perigos.

É curioso observar que o medo daquelas feras foi capaz de desencadear em nosso organismo todas essas mudanças e, em momento algum, tivemos medo dessas reações em nosso corpo. Os próprios sentimentos não nos incomodam porque sabemos exatamente a razão disso tudo. Eles fazem parte de nossa reação ao medo.

A reação do medo, também chamada de "luta ou fuga", está no centro de vários transtornos do comportamento (ou mentais), conhecidos como *transtornos de ansiedade*. As sensações envolvidas na reação do medo normal (como instinto de defesa) ou no ataque de pânico (sensação de medo intenso, súbito e anormal) são exatamente as mesmas: taquicardia, sudorese, aceleração da respiração, tremores, boca seca, formigamentos, calafrios etc. A única diferença – e esta é a grande diferença – é que, no caso dos cachorros, nós sabemos exatamente por que reagimos daquela maneira (por medo das feras). Já no pânico, por exemplo, nós não conseguimos identificar um fator desencadeante ou um estímulo óbvio para causar sentimentos tão fortes.

AS FORMAS DA ANSIEDADE PATOLÓGICA: TRANSTORNOS DE ANSIEDADE

O medo é um sentimento universal: todos sentem, e diversos estudos demonstram ser uma emoção primária (inata) do ser humano, necessária para proteção e perpetuação da espécie. Está incrustada em nosso DNA e faz parte da nossa existência. Sua abrangência vai desde a decisão de lutar ou fugir até o acúmulo traiçoeiro que deságua no estresse e na ansiedade, levando ao esgotamento físico e mental. Como visto, um estímulo que desperte o medo é capaz de, em frações de segundos, munir o corpo inteiro de adrenalina e prepará-lo para uma rápida reação física.

As respostas físicas e mentais ao medo eram tão essenciais para a sobrevivência de nossos antepassados primitivos que permanecem de forma intensa e muito poderosa até os dias atuais. Infelizmente a manutenção dessa resposta adaptativa, com tamanha intensidade, quase sempre se torna inapropriada no mundo moderno. Afinal, ao evoluirmos, como espécie e civilização, deveríamos ter deixado para trás a necessidade de uma reação tão excessiva. No entanto, nossa reação ao medo continua a se manifestar de forma quase idêntica àquela vivenciada pelos nossos ancestrais mais longínquos.

Ao reagirmos, frequentemente de forma exacerbada, aos contratempos e às dificuldades do dia a dia, acabamos por adoecer, uma vez que o excesso de hormônios de estresse (cortisol e adrenalina) pode ocasionar aumento da pressão arterial, doenças cardíacas, enxaquecas, alergias, úlceras, pânico, fobias, entre outros. O que, nos tempos primitivos, era um supersistema de proteção, essencial para o homem da época, transformou-se em uma poderosa arma, cuja potência o homem moderno tem de aprender a desativar ou, pelo menos, a reduzir seu poder de fogo. Sendo assim, existem casos nos quais essa reação perde sua função protetora e ganha força e status de uma situação definitivamente ameaçadora dentro da mente.

Se observarmos as pessoas, de modo geral, podemos perceber que o nível de ansiedade é um traço que caracteriza a personalidade de cada um. Desta forma, vemos pessoas com atitudes mais tranquilas diante de situações de perigo ou ameaçadoras. Em contrapartida, percebemos, em outras, atitudes exacerbadas diante das mesmas situações ou, no mínimo, bastante similares. O momento exato em que manifestamos ansiedade (o chamado estado de ansiedade) pode ser considerado um momento de ruptura ou quebra em relação à nossa condição emocional básica. Esta quebra nos faz cair em uma espécie de abismo, no qual experimentamos desconforto emocional intenso.

É possível estabelecer a velha dialética entre o *ser* e o *estar*. *Ser ansioso* é possuir sensação de tensão, apreensão e inquietação, dominando todos os demais aspectos de nossa personalidade. *Estar ansioso* é tudo isso acompanhado por manifestações orgânicas tais como palpitações (taquicardia), suor intenso (sudorese), tonturas, náuseas, dificuldade respiratória, extremidades frias etc.

Assim, os transtornos de ansiedade correspondem aos estados de ansiedade (*estar ansioso*) em indivíduos que possuem uma personalidade ansiosa de fundo ou base (*ser ansioso*). Logo, fisiologicamente pensando, quando o *ser* se une ao *estar* em uma personalidade já ansiosa, estados severos de desconforto e sofrimento são gerados.

Os transtornos de ansiedade são os rebentos, não desejados, de um casamento que sempre terá de evoluir para um divórcio, às vezes doloroso, mas sempre libertador. Eles podem assumir múltiplas formas, porém todos possuem uma matriz comum, que é a personalidade ansiosa. Esta constatação que, à primeira vista, parece relativamente óbvia só teve seu reconhecimento pela ciência médica há muito pouco tempo, quando se criou o termo *espectro da ansiedade*, que agrupou os diferentes transtornos sob um mesmo teto.

Segundo a Associação de Psiquiatria Americana (APA), os transtornos de ansiedade* são vários, e a principal característica deles, além da presença de ansiedade, é o comportamento de esquiva, ou seja, a pessoa tende a evitar determinadas situações nas quais a ansiedade exacerbada pode deflagrar. Dentro desse leque, o medo patológico pode se manifestar de diversas formas e em graus de intensidade diferentes, tais como:

➲ Súbitos ataques de pânico, que podem evoluir para o transtorno do pânico.

➲ Fobia social ou timidez patológica, na qual as pessoas percebem ameaças potenciais em situações sociais e em exposição em público.

➲ Medos diversos ou fobias simples, cuja ameaça provém de estímulos bem específicos (animais, lugares fechados, chuvas, avião etc.).

➲ Transtorno de estresse pós-traumático (TEPT), quando vivemos experiências traumáticas significativas (sequestros, perdas de entes queridos, acidentes etc.).

---

* Descritos no DSM-IV-TR. *Manual Diagnóstico e Estatístico de Transtornos Mentais*, 4ª edição. Texto revisto.

- Transtorno de ansiedade generalizada (TAG), que se caracteriza por um estado permanente de ansiedade, sem qualquer associação direta com situações ou objetos específicos.
- Transtorno obsessivo-compulsivo (TOC), no qual a mente é invadida por pensamentos intrusivos e sempre de conteúdo ruim (obsessões), que desencadeiam rituais repetitivos e exaustivos (compulsões), na tentativa de exorcizar tais ideias.

Todos eles têm em comum a presença de sintomas físicos (taquicardia, sudorese, tontura, cólica, náusea, falta de ar) e sintomas psíquicos (inquietação, irritabilidade, sobressalto, insegurança, insônia, dificuldade de concentração, sensação de estranheza).

Além dos transtornos anteriormente citados, outras patologias também são descritas em manuais específicos de classificação de doenças mentais e fazem parte dos transtornos de ansiedade. Contudo, não serão objetos deste livro, uma vez que me propus a desvendar ao leitor somente aqueles com os quais me deparo com mais frequência na prática clínica e que considero de maior relevância.

Os transtornos de ansiedade ocorrem com uma frequência muito alta na população em geral. Recentes estudos norte-americanos, de abrangência significativa, revelaram que 25% das pessoas apresentam algum tipo de transtorno de ansiedade ao longo de suas vidas. A primeira reação diante dessa estatística é assustadora; afinal, trocando em miúdos, o que eles evidenciaram é que um quarto da população mundial sofre ou sofrerá algum tipo de transtorno ansioso durante toda a sua existência. Mas, infelizmente, esses dados refletem e atestam a mais absoluta realidade.

O que pode deixar as pessoas com a "pulga atrás da orelha" em relação a um percentual tão grande assim é o fato de que grande parte dos indivíduos que apresentam transtorno de ansiedade não procura tratamento, além de tentar esconder seus sintomas das outras pessoas. Isso não é muito difícil de explicar, uma vez que os transtornos de ansiedade mais comuns são as fobias simples, também chamadas de específicas (medo de insetos, animais etc.) e a fobia social (medo de falar e de se expor em público). Se considerarmos que muitos eventos sociais e o contato com animais podem ser evitados, é provável que um número razoável de pessoas que sofram de tais transtornos jamais procurará tratamento. Somente quando o medo anormal (patológico) passa a interferir de forma acentuada no cotidiano do indivíduo, com prejuízos concretos nos setores social, afetivo e profissional, é que ele sente a necessidade de procurar ajuda especializada.

DENTRO DESSE TÚNEL TEM LUZ

É preciso ter em mente que todos os transtornos de ansiedade geram desconfortos ao indivíduo, em maior ou menor grau. Sendo assim, é muito importante que ele procure um especialista para estabelecer o diagnóstico e as possibilidades terapêuticas adequadas. Somente o diagnóstico preciso do transtorno (ou patologia) pode assegurar a terapia eficaz. Até porque a ausência de resultados satisfatórios afasta o paciente. Como "bom" ansioso, ele tem pressa, necessidades exacerbadas e muita ansiedade para utilizar pílulas milagrosas.

Tanto os médicos quanto os psicoterapeutas precisam de muito empenho e dedicação, pois, em alguns casos, ocorre uma grande dificuldade em se estabelecer o tratamento mais adequado para cada forma específica de ansiedade e para cada paciente. Casos mais complexos são aqueles em que o transtorno de ansiedade está associado a outros quadros patológicos, como a depressão ou o consumo abusivo de álcool e/ou outras substâncias causadoras de dependência física e psicológica.

Em relação ao álcool, de certa maneira, é fácil entender a razão dessa parceria: a bebida alcoólica é capaz de atenuar o estado de tensão contínua, proporcionando alívio momentâneo e aparente para essas pessoas. No entanto, esse alívio imediato tem um preço. À medida que o tempo passa, pode se tornar "caro demais", pois o álcool, a curto, médio e longo prazos, é capaz de cobrar juros na forma de insônia, ansiedade mais intensa (especificamente na ressaca), depressão, doenças físicas, e inflacionar nossa vida com uma dependência química difícil de ser vencida.

Até pouco tempo atrás, os transtornos de ansiedade possuíam poucas opções terapêuticas realmente eficazes. Um dos grandes avanços ocorreu com a utilização dos benzodiazepínicos – popularmente conhecidos como calmantes, e que apresentam tarja preta. Todavia, eles não são eficazes em todas as formas de transtorno de ansiedade e também agem apenas na supressão dos sintomas, não exercendo influência sobre as causas do transtorno. Assim, se nos restringirmos à utilização desses medicamentos, teremos a desagradável surpresa de ver os sintomas indesejáveis retornarem, tão logo o uso deles seja suspenso.

Felizmente, nos últimos anos, tivemos boas e animadoras notícias em relação ao tratamento dos transtornos de ansiedade, e hoje dispomos de um leque de possibilidades medicamentosas. De mais a mais, o progresso ocorrido no campo das terapias psicológicas de apoio foi significativo. A terapia cognitivo-comportamental (TCC) provou ser capaz de mudar os esquemas de pensamento que aprisionam essas pessoas aos seus próprios medos, além de alterar o seu comportamento (atitudes) diante dos fatores de ansiedade que desencadeiam.

Em relação às novas medicações, algo curioso aconteceu: a constatação da frequente associação entre ansiedade e depressão fez com que os pesquisadores estudassem o uso de substâncias originalmente utilizadas como antidepressivos também para os casos de transtornos de ansiedade. A boa surpresa foi que algumas dessas substâncias se mostraram realmente eficazes em determinadas formas de ansiedade patológica.

Atualmente podemos afirmar que em 80% dos casos de transtornos de ansiedade é possível melhorar muito a qualidade de vida das pessoas, e isso pode ser atestado pela satisfação que os próprios pacientes demonstram. Após a conquista desse bem-estar, é muito importante que o paciente prossiga em sua terapia de manutenção, pois essa prática é bastante eficaz na prevenção de recaídas.

E, como "em time que está ganhando não se mexe" e "canja de galinha não faz mal a ninguém", é "melhor prevenir do que remediar"!

O meu medo é
uma coisa assim,
que corre por fora
entra, vai e volta sem sair

DALTO E CLÁUDIO RABELLO — Pessoa

CAPÍTULO 2

TRANSTORNO DO PÂNICO: TERROR SEM AVISO PRÉVIO

Sentimento súbito de terror, sensação de morte iminente, coração disparado, suor intenso, dores no peito, falta de ar, tontura, por vezes acompanhados de sensação de despersonalização ou irrealidade ou de que alguma catástrofe vai acontecer!

A descrição acima se encaixa perfeitamente na descrição de um ataque cardíaco, mas não é. Trata-se de um ataque de pânico! De fato, várias pessoas que sofrem de transtorno de pânico são atendidas na sala de emergência de um pronto-socorro, para onde são levadas com forte suspeita, ou quase certeza, de estarem tendo um enfarte, e lá recebem o diagnóstico de que o coração se encontra em perfeito estado. O caráter aterrorizante do ataque de pânico, em função de seus sintomas, é ainda agravado pelo seu aspecto de improviso; ou seja, ele chega sem sinais premonitórios e passa a dominar a vida das pessoas, que até aquele fatídico momento se consideravam criaturas detentoras da mais perfeita sanidade mental. A sensação vivida pelas pessoas que sofreram seu primeiro ataque de pânico é algo como a fábula da Cinderela. De um instante para o outro perdem todo o glamour do luxo, da realeza, do amor, da música e se deparam com um balde de água suja, um trapo de pano, uma vassoura velha quase careca. É dormir rico e acordar pobre. Esta é a sensação após o primeiro ataque de pânico: perder toda a sanidade numa mesa de pôquer.

Muitas pessoas apresentam um único ataque de pânico, que não se repete com o passar do tempo. No entanto, quando esses ataques são frequentes, passam a caracterizar o transtorno do pânico, gerando um círculo vicioso de sensações e comportamentos que acabam por limitar de forma relevante a vida cotidiana dos portadores. O fato de a pessoa não poder prever a hora ou o momento de um novo ataque de pânico faz com que ela desenvolva uma ansiedade crescente quanto à situação e ao local onde o próximo ataque poderá acontecer. A partir daí, instala-se uma sensação muito peculiar aos portadores de transtorno do pânico, conhecida como "o medo do medo". Além disso, eles tendem a evitar locais ou situações onde outros ataques já ocorreram, como, por exemplo, banco, carro, cinema, teatro, feiras etc.

De uma forma bem sucinta: o nome pânico foi adaptado do grego *panikon* e derivado do nome do deus Pã, figura mitológica grega, divindade das montanhas e das florestas, protetor de pequenos animais, pastores e caçadores. Apesar de ser travesso, galanteador e de sempre empunhar uma flauta feita de caniços do brejo, era rejeitado pela sua feiura. Metade homem e metade animal, com chifres, patas e pelos de bode, Pã aterrorizava as pessoas com suas aparições inesperadas. Desta forma surgiu a palavra "pânico", o terror infundado ou repentino.

Através dos séculos, observamos que as pessoas têm sofrido de ataques de pânico há muito tempo. No século XVI, na França, eram denominados *terreur panique*. Em 1603 (século XVII), um médico inglês descreveu assim um ataque de pânico: "Tolos tremores repentinos, sem qualquer causa precisa, aos quais eles chamam de terrores de pânico." Sigmund Freud (o pai da psicanálise) foi um dos primeiros a fazer uma descrição minuciosa e apurada dos ataques de pânico; em 1884 ele os chamava de "ataques de ansiedade" em vez de ataque de pânico. Entre o final do século XIX e a década de 1980, tanto a medicina quanto a psicologia praticamente ignoraram os ataques de pânico. Finalmente, a partir de 1980, a Associação de Psiquiatria Americana (APA) incluiu os ataques de pânico na terceira edição do DSM (*Manual Diagnóstico e Estatístico de Transtornos Mentais*), uma espécie de bíblia dos psiquiatras para diagnosticar os problemas relacionados ao comportamento.

Segundo o DSM-IV-TR,* um ataque de pânico é um período inconfundível, de imenso medo ou temor, no qual quatro ou mais dos sintomas listados abaixo se desenvolvem de forma abrupta. O ataque atinge o ápice (pico) em 10 minutos e costuma se estender por aproximadamente 40 minutos:

- palpitações ou taquicardia (ritmo cardíaco acelerado);
- sudorese intensa (suor, principalmente na face ou cabeça);
- tremores ou abalos musculares;
- sensação de falta de ar ou sufocamento;
- sensação de asfixia ou "nó" na garganta (aperto);
- dor ou desconforto no peito;
- náuseas (enjoos) ou desconforto abdominal (similar à cólica);
- sensação de tontura, vertigem ou desmaio;
- sensação de irrealidade (estranheza com o ambiente) ou de despersonalização (estranheza consigo mesmo);
- medo de perder o controle de seus atos ou de enlouquecer;
- medo de morrer;
- sensação de anestesia ou de formigamento (parestesias);
- calafrios ou ondas de calor.

É interessante observar que, em relação aos demais transtornos de ansiedade, o transtorno do pânico apresenta uma frequência relativamente baixa, principalmente se compararmos com as fobias (medos exagerados). No entanto, o transtorno de pânico é campeão entre as pessoas que procuram ajuda e tratamento médico. Isso dá a dimensão exata do sofrimento e do desespero vivenciados por um indivíduo durante um ataque de pânico. A partir desse momento, inicia-se um longo período de temor, insegurança e mudança. A época mais comum para ocorrerem os primeiros ataques de pânico é entre 15 e 30 anos de idade, o que não exclui a ocorrência em qualquer outra faixa

* *Manual Diagnóstico e Estatístico de Transtornos Mentais,* 4ª ed., texto traduzido.

etária. A recorrência dos ataques faz com que muitas pessoas sintam que não podem continuar trabalhando ou tendo a mesma vida ativa de antes, por isso não é raro o abandono de carreiras profissionais absolutamente promissoras.

Um dado sobre o pânico, que contraria o senso comum, é o fato de ele ocorrer com igual frequência tanto nos grandes centros urbanos quanto nas regiões agrícolas (campo). Assim, cai por terra a ideia preconcebida de que a vida agitada das cidades grandes, como Rio de Janeiro, São Paulo e Belo Horizonte, cause mais pânico em seus habitantes. Isso não passa de um mito que começa a ser desfeito. A queda desse mito nos faz pensar que o estresse afetivo talvez seja, de fato, o grande vilão nesse filme de terror chamado pânico.

Os ataques de pânico são relativamente frequentes em nosso meio, podendo apresentar entre 1,5% e 3,5% de prevalência vital, ou seja, qualquer um de nós tem a probabilidade de ser acometido por um ataque de pânico em algum momento de nossa existência. As mulheres são mais acometidas que os homens, e a causa exata dessa diferença até hoje não é satisfatoriamente compreendida. No entanto, os estudos revelam que elas possuem duas a quatro vezes mais chances de apresentarem o transtorno.

Além disso, é importante destacar a significativa presença de uma propensão genética ao transtorno, uma vez que existe maior incidência do problema entre pessoas cujas famílias possuem descrições de casos semelhantes.

Cabe salientar que sofrer um ataque de pânico isolado, sem maiores consequências, não significa que uma pessoa seja portadora do *transtorno do pânico*. Afinal, várias condições diárias como estresse familiar, no trabalho e uso de substâncias como álcool, anfetaminas, cigarro, cafeína, cocaína e até maconha podem, esporadicamente, desencadear crises de pânico.

Por outro lado, se esses ataques forem frequentes e a pessoa passar a se preocupar permanentemente com a iminência de uma nova crise, ou mesmo com as possíveis consequências catastróficas (enfarte cardíaco, derrame cerebral, enlouquecimento etc.), o diagnóstico de transtorno do pânico deverá ser feito. Obviamente que se deve excluir qualquer outra doença física que justifique o quadro clínico, pois muitas podem apresentar sintomas parecidos.

Diferentemente das fobias (medos exacerbados), os ataques de pânico costumam ser espontâneos, ou seja, "aparecem do nada", e não estão relacionados a objetos/animais ou situações específicas, sempre presentes nos quadros fóbicos.

Como visto até aqui, diagnosticar o transtorno do pânico não é tão simples como se pensa. Mesmo que uma pessoa preencha os critérios para ataques de pânico, e estes se apresentem de maneira repetida e inesperada, ainda assim é preciso executar uma série de rotinas diagnósticas, uma vez que há a necessidade de afastar a possibilidade de que tais crises sejam provocadas por uma doença física ou mesmo por outro transtorno de ansiedade, especialmente as fobias. Daí a necessidade de que o diagnóstico de transtorno do pânico seja realizado por médicos, de preferência com larga experiência no trato com pessoas portadoras de transtornos ansiosos, e também possuidores de vasto conhecimento das patologias clínicas em geral.

Podemos constatar o sofrimento vivenciado por Viviane, 31 anos, comerciária, diante desse terrível desconforto:

Há seis anos, durante um almoço com um colega de trabalho, vivenciei uma das piores coisas do mundo. Tudo estava na mais perfeita harmonia e tranquilidade quando, de repente, sem mais nem menos, uma sensação horrível e angustiante tomou conta de mim. Começou com uma tontura, depois tudo ao meu redor estava estranho (as pessoas, o ambiente), e pensei que estivesse enlouquecendo. Minha vontade era fugir dali, mas perdi o controle e desabei num choro compulsivo. Eu tive absoluta certeza de que iria enfartar, morrer. Um mal-estar indescritível, tudo era muito intenso!

Meu corpo suava por inteiro, sentia enjoo, dormência na nuca, meu coração disparava e me sentia sufocada. Medo! Ninguém conseguia fazer aquele desespero parar, e os meus pensamentos eram os mais terríveis possíveis. Não fazia a menor ideia do que poderia estar acontecendo e jamais me esqueci dessas cenas de horror. Tempos depois, as crises voltaram e cada vez mais frequentes. Meus pais se desesperavam junto comigo, percorríamos os prontos-socorros e as clínicas cardiológicas. Fiz todos os exames que me pediram e o diagnóstico era sempre o mesmo: estresse. Convivi com isso por cinco anos, o que me impediu de trabalhar, sair sozinha e dirigir. Passei a me informar sobre o assunto e procurei um psiquiatra. Fui diagnosticada com transtorno do pânico e iniciei o tratamento. Hoje já me sinto muito mais segura e levo uma vida praticamente normal.

Infelizmente, o portador do transtorno do pânico pode levar muito tempo até receber diagnóstico e tratamento adequados. A grande maioria dos pacientes ainda hoje faz verdadeiras peregrinações por diversos especialistas médicos e consultórios de psicologia. Tais pacientes são submetidos a vários exames e, ao final, recebem o desolador diagnóstico do *nada*, que costuma ser seguido por tapinhas nos ombros e frases proféticas do tipo: "Você está ótimo, não tem nada, seus exames são espetaculares!"; "Isso tudo é da sua cabeça, relaxe"; "Viaje um final de semana e tudo voltará ao normal". Quem tem pânico sabe muito bem que o tal *nada*, que muitos médicos e psicólogos afirmam com veemência, pode ser responsável por *todo* o sofrimento do mundo em um curto espaço de tempo: os minutos que duram a crise de pânico. Além disso, o *nada,* ao se repetir, muda de forma dramática *toda* uma vida de planos, sonhos e realizações.

O fato de apresentar exames físicos e complementares (laboratoriais) dentro dos padrões da normalidade não significa, em absoluto, que a pessoa não tenha *nada*. A meu ver, a prevalência desse suposto binômio *doente/sadio* reflete a nossa momentânea, mas real, incapacidade de dispormos de métodos laboratoriais ou de imagens suficientemente sofisticadas que nos possibilitem ver como funciona o cérebro de alguém portador de transtorno do pânico. E mais: coloca de frente para o espelho a grande dificuldade que os profissionais de saúde têm de exercer a empatia (capacidade de se colocar no lugar do outro) na relação médico–paciente.

Parte dessa deficiência tem sua origem na própria formação médica. Ela é totalmente voltada para a produção de médicos onipotentes, que se protegem de uma relação mais humana com seus pacientes por meio de técnicas e condutas previamente estabelecidas. Sendo assim, esses profissionais apresentam grande dificuldade em aceitar e compreender o sofrimento do outro. O que mais agrava isso é o fato de que, tal qual a miséria, o sofrimento humano existe em qualquer canto e pode se manifestar em qualquer pessoa. O médico de hoje pode ser o paciente de amanhã e vice-versa.

COMO PENSAM AS PESSOAS QUE TÊM TRANSTORNO DO PÂNICO

Os portadores do transtorno do pânico, em sua maioria, costumam apresentar ansiedade antecipatória em relação à possibilidade de terem um novo ataque de pânico e a respeito de sofrerem as mais diversas consequências advindas desses ataques (enfarte, derrame, morte etc.). Essa ansiedade antecipatória se manifesta especialmente na forma de pensamentos propriamente ditos ou na forma de imagens (histórias fantasiadas). Ambos, pensamentos e imagens, povoam a mente dos portadores do transtorno do pânico, tal qual uma sequência rápida de sons e imagens vistos em um videoclipe de música eletrônica. É comum o paciente não ter muita percepção do conteúdo desses pensamentos, devido à grande velocidade com que eles são processados no cérebro. Em função dessa rapidez, tais pensamentos são denominados "pensamentos automáticos" e, infelizmente, são aceitos como fatos ou verdades absolutas por esses pacientes. Os pensamentos ou imagens mais comuns são:

- Vou ter um ataque cardíaco.
- Vou ficar louco.
- Vou morrer.
- Vou ter um derrame.
- Vou ser tomado como alguém fraco.
- Vou desmaiar e vão rir de mim.
- Não posso ficar sozinho, pois preciso de alguém para me socorrer.
- Não consigo controlar minha vida.
- Preciso ser capaz de controlar tudo.
- Não posso dirigir, pois vou perder o controle do carro e bater.
- Não posso praticar esporte, pois posso morrer.
- Não posso fazer sexo, pois posso enfartar.
- Se eu não dormir, posso enlouquecer ou ter uma síncope (colapso nervoso).
- Não posso me emocionar nem chorar, senão perco totalmente o controle das minhas emoções.

Naturalmente, existem muitas combinações e, até mesmo, diferentes pensamentos e imagens que podem ocorrer em cada indivíduo portador do transtorno do pânico. Afinal, os sintomas são os mesmos. No entanto, cada pessoa traz consigo uma história própria, que acaba por facilitar a ocorrência de determinados tipos de pensamentos e imagens que povoam suas mentes.

Na minha prática clínica, observo, porém, que determinados pensamentos ocorrem com tanta frequência entre as pessoas com pânico, que praticamente são unânimes ou universais. Entre eles destaco três que, sob meu ponto de vista, respondem por grande parte do sofrimento desses pacientes e transformam suas vidas em verdadeiros martírios antes, durante e após a ocorrência de uma crise:

MORTE

Sem sombra de dúvida, a ideia de morrer é a que mais aterroriza quem sofre de transtorno do pânico (TP). É claro que o assunto "morte" costuma incomodar quase 100% da população humana, afinal somos os únicos animais que têm consciência de sua inevitável ocorrência. Mas o que chama atenção entre os pacientes com pânico é o fato de eles associarem diretamente esse medo a alguns sintomas que ocorrem durante o ataque de pânico, em especial a taquicardia e a falta de ar (ou dispneia).

Por outro lado, se pensarmos bem, veremos que essas mesmas sensações estão presentes, de forma absolutamente normal, em nosso cotidiano. Quem já não teve taquicardia e ligeira falta de ar ao ter uma maravilhosa relação sexual, após a prática de um esporte de lazer, após a subida rápida de uma escadaria ou mesmo durante uma forte emoção de alegria?

Essas sensações são, de certa forma, corriqueiras e totalmente normais em nossa vida. O que as torna anormais no pânico é a forma catastrófica como elas são interpretadas. Para um paciente com transtorno do pânico, a taquicardia e a falta de ar são sempre indicadores certeiros de morte iminente. Se lembrarmos quantas vezes fizemos exercícios físicos e bom sexo, notaremos que, além de não termos morrido disso, experimentamos sentimentos revigorantes que nos deram a certeza de que estávamos vivos e felizes.

LOUCURA

Excetuando alguns filósofos e poetas, que viam algo de romântico e revolucionário na loucura, todos nós temos muito receio de enlouquecer, até porque isso significa romper a fronteira do conhecido e quebrar a estrutura mais íntima de nosso ser. No caso dos portadores de transtorno do pânico, esse medo é intenso e muito frequente. Ele está profundamente relacionado com os sintomas de despersonalização (deixar de se sentir a própria pessoa) e irrealidade (estranheza em relação aos fatos e pessoas que fazem parte de sua vida).

Ao forçar a respiração em função da falta de ar, o paciente com pânico acaba promovendo uma hiperventilação, ou seja, respiração curta e rápida com redução dos níveis sanguíneos de oxigênio (O_2) e gás carbônico (CO_2), resultando em uma respiração de baixa qualidade. A redução de oxigênio (O_2) no sangue provoca um funcionamento alterado no cérebro, que passa a coordenar mal as ideias e os pensamentos, dando a sensação de despersonalização e irrealidade, que toma conta das pessoas durante o ataque de pânico. Já a diminuição de gás carbônico (CO_2), além da sensação de estar fora da realidade, causa sintomas de formigamento nos lábios e no rosto, tonturas e espasmos musculares (tremores e contrações).

Essa mesma impressão pode ser provocada quando, voluntariamente, respiramos rápida e profundamente com a boca aberta de 30 a 60 segundos. Faça o teste e você verá que um pouco de tontura e confusão mental não é capaz de enlouquecer ninguém. Loucura é outra coisa, bem diferente por sinal. Nela existe a presença de alucinações e delírios, que são alterações graves da percepção (ver coisas, ouvir vozes) e do julgamento (achar que está sendo perseguido). E isso não tem nada a ver com o transtorno do pânico em si.

DESCONTROLE

Se pensarmos bem, viver é um exercício diário, cheio de imprevistos positivos e, às vezes, negativos. Não existe *viver* sem essas condições. Apesar de sabermos que controlar os acontecimentos de nossas vidas e das pessoas que nos cercam é uma tarefa impossível, sempre tentamos manter sob domínio os fatos, os sentimentos e as circunstâncias que ocorrem. A maioria das pessoas não consegue lidar muito bem com essa impossibilidade. É como se o ato de controlar coisas e pessoas conferisse uma espécie de poder ilusório de segurança, força e equilíbrio ao controlador.

Para quem sofre de pânico, perder o controle sobre seus atos é algo pensado e imaginado com tamanha riqueza de detalhes, e com uma frequência tão intensa, que o seu universo mental funciona como um filme de suspense e ação, no qual acontecimentos trágicos ocorrem a todo instante. E pior: muitos desses pacientes chegam a imaginar essas cenas trágicas com detalhes mórbidos e trilhas sonoras fúnebres ao fundo. *Eles veem tudo o que ouvem e ouvem tudo o que veem*. Dessa forma, perder o controle de um veículo e atropelar alguém ou mesmo cometer um ato desvairado são ideias que inundam a mente dos portadores de pânico, mantendo-os como náufragos à deriva dentro de si mesmos.

Os portadores de pânico, envoltos em seus pensamentos trágicos ou catastróficos, não se dão conta de um fato bastante simples e acalentador: um ataque de pânico tem uma duração limitada. Como já dito, os sintomas se instalam de forma súbita, atingem um pico máximo de intensidade, por volta de 10 minutos, iniciam uma curva descendente e passam. Sem esse entendimento, mesmo com todos os sintomas desagradáveis e o descontrole que as pessoas com ataque de pânico vivenciam, muitas acabam por pedir ajuda a alguém ou mesmo dirigem-se sozinhas a um hospital ou a um local onde possam ser encaminhadas ao atendimento médico. Convenhamos que, se essas pessoas não tivessem um mínimo de controle sobre as situações, elas sequer seriam capazes de se articular para solicitar ou buscar ajuda. Sendo assim, o descontrole, tão temido pelos portadores de transtorno do pânico, é mais uma sensação subjetiva do que um fato de repercussões tão trágicas como eles imaginam.

O MEDO DE FICAR DESAMPARADO (AGORAFOBIA)

Tinha medo de sair de casa, de estar sozinha, de trabalhar, de ir ao teatro, cinema ou shows. Logo eu, que sempre gostei tanto de tudo isso.

Uma situação que frequentemente acompanha o transtorno do pânico é a *agorafobia*. A origem desta palavra, aparentemente estranha e de difícil pronúncia, também advém da mitologia grega. *Ágora* era o nome de praças onde se realizavam trocas de mercadorias ou reuniões do povo para discutir os problemas da cidade. Sendo assim, a agorafobia trata de um tipo de fobia generalizada, na qual o indivíduo apresenta um medo intenso e injustificável de estar em lugares amplos ou com um contingente significativo de pessoas. Nesses casos, o receio apresentado por essas pessoas deve-se à dificuldade de terem acesso a qualquer tipo de socorro, caso haja a necessidade de um atendimento médico ou qualquer outro tipo de ajuda.

Contrariando algumas pessoas, que tendem a citar o pânico e/ou a agorafobia como um problema dos tempos modernos, a agorafobia foi descrita há mais de um século como "impossibilidade de andar nas ruas ou praças ou fazê-lo somente com medo ou sofrimento acentuado".

A agorafobia se caracteriza por ansiedade extrema de estar em locais ou circunstâncias cuja saída seja difícil ou, então, o auxílio possa não estar disponível se houver ocorrência de um ataque ou de sintomas de pânico. A agorafobia leva as pessoas a evitar situações cotidianas diversas, como ficar sozinhas em casa, estar em meio à multidão, sair de casa, andar de ônibus, carro, elevador, avião, trem, metrô, ou ainda atravessar pontes, viadutos ou passarelas. Quase sempre as pessoas que sofrem de agorafobia necessitam da presença de outras pessoas de confiança para enfrentar essas situações.

Diante da relação frequente entre *pânico* e *agorafobia*, o DSM--IV-TR descreve a agorafobia em duas situações:

1. Transtorno do pânico com agorafobia.
2. Agorafobia sem história de transtorno do pânico.

Pela minha experiência clínica diária, observo que a ocorrência de agorafobia sem história de transtorno do pânico é um diagnóstico raro. Na grande maioria dos casos, encontro a agorafobia como parte ou consequência do próprio transtorno do pânico.

É importante que o leitor entenda que a agorafobia não é um simples temor ou evitação de lugares abertos ou fechados, ela engloba diversas circunstâncias que podem apresentar diferenças sutis de pessoa para pessoa. No entanto, todas têm em comum o medo de estar longe de casa ou longe de pessoas que lhes deem segurança. Fora dessas situações, tidas como seguras, os pacientes com agorafobia possuem intenso temor de apresentarem sensações físicas e psíquicas de ansiedade e desencadear crises ou ataques de pânico. O *medo de ter medo* define de forma precisa a essência desse quadro.

Nos pacientes que apresentam o transtorno do pânico com agorafobia, os sintomas de ansiedade costumam ser bastante variáveis, tanto na frequência quanto na intensidade, ou seja, desde um leve desconforto até uma esquiva generalizada (de situações, pessoas, locais).

O transtorno do pânico costuma apresentar ótima resposta terapêutica a determinados tipos de antidepressivos, porque esses remédios são bastante eficazes no controle dos ataques. Porém, eles agem de maneira bem menos perceptível na esquiva fóbica (evitar situações ou locais onde os ataques de pânico tenham ocorrido anteriormente), sobretudo se esta for acentuada e duradoura. É claro que o controle das crises de pânico gera, em muitas pessoas, maior segurança e predisposição para que elas enfrentem as situações ou os locais que anteriormente eram evitados com afinco. Entretanto, grande parte dos pacientes com pânico e que apresentaram agorafobia intensa por longo período tende a manter o comportamento de evitação devido ao medo de ter outro ataque de pânico.

Evitar situações, locais ou pessoas diminui momentaneamente o medo, reforçando um círculo vicioso de falsa segurança e controle. Por isso, a terapia cognitivo-comportamental (TCC) é tão importante no tratamento do transtorno do pânico com agorafobia, uma vez que esse tipo de abordagem psicoterápica prepara o paciente para enfrentar e romper essa "corrente" de medo, insegurança e incapacitação.

Os locais e as situações evitados por pacientes que apresentam transtorno do pânico com agorafobia são bastante diversos, pois dependem da vivência subjetiva e/ou objetiva de cada pessoa. Mesmo assim, na prática diária, observo que alguns deles são evitados com frequência significativa pela maioria dos pacientes, tais como:

- sair ou ficar em casa sozinho;
- permanecer em locais fechados e cheios como teatros, cinemas, restaurantes, shoppings, supermercados, shows, estádios de futebol, festas em clubes, congestionamentos de trânsito etc.;
- andar de carro, ônibus, metrô e avião;
- enfrentar filas de banco;
- atravessar túneis, passarelas, pontes, elevados;
- entrar em elevadores;
- permanecer em consultórios médicos e de dentistas, escritórios em geral;
- frequentar lugares muito amplos e abertos, onde a ajuda não possa estar à vista;
- realizar viagens e passeios mais distantes.

COMPREENDENDO O TRANSTORNO

Dizem que o primeiro beijo a gente nunca esquece, assim como o primeiro sutiã, o primeiro bombom oferecido como declaração de amor, a primeira paixão, o primeiro amor. São momentos mágicos, que povoam nossas lembranças e superlotam o escaninho de nossas almas, como diria Fernando Pessoa, ao se referir às cartas de amor. De forma inversa, porém não menos intensa, o mesmo acontece com o primeiro ataque de pânico. Por razões diametralmente opostas, o pavor vivenciado naqueles 5 a 40 minutos em que a morte mostra a sua cara mais abusada jamais abandona a memória de quem já teve ou tem ataques de pânico.

Para que se compreenda, pelo menos parcialmente, a tempestade indesejada que acomete nosso organismo durante uma crise de pânico, é preciso considerar que o nosso cérebro é detentor de um sistema de alarme. Tal sistema detecta e sinaliza ameaças e o perigo e nos prepara para situações nas quais precisaríamos correr, fugir ou mesmo tomar decisões de forma reflexa e imediata. Por circunstâncias ainda não completamente esclarecidas, esse sistema pode se "desregular" e desencadear alarmes *falsos* em situações que habitualmente não representam qualquer tipo de ameaça ou perigo para nós.

Todos nós já passamos por momentos de risco ou perigo em que sentimos nosso coração bater mais rápido e forte. Percebemos a respiração mais intensa, os músculos tensos, o corpo quente e a pele suada. E foi graças a essas alterações do organismo que conseguimos tomar atitudes que sequer imaginávamos ser capazes. Tal qual uma arma, nosso sistema de defesa cerebral possui um gatilho que, ao ser acionado por determinada situação de risco, é capaz de desencadear no cérebro uma verdadeira "explosão" de reações químicas, liberando neurotransmissores* como noradrenalina, dopamina e endorfinas, que deixam nosso corpo pronto para enfrentar ameaças concretas.

---

* Substâncias que conectam as informações cerebrais e preparam o corpo para as ações.

Algo bastante semelhante ocorre em uma crise de pânico. Tudo funciona como se houvesse de fato um perigo real, as mesmas alterações bioquímicas, as mesmas sensações e até as ações reflexas e imediatas de medo e insegurança. No entanto, a ameaça real *não existe*! É como se o sistema de alarme do detector de perigo tivesse sofrido um desajuste, e sua programação de disparo, para situações específicas e necessárias, passasse a funcionar em horas erradas e inapropriadas. Sem qualquer lógica aparente ou necessidade real e controle algum, esse alarme dispara de forma repentina, tomando-nos de assalto e deflagrando uma série de sintomas que, ao se repetirem ao longo do tempo, transtornarão toda a nossa vida.

Situação análoga ocorreria se nosso despertador, que é programado para nos fazer acordar todos os dias às sete da manhã, passasse, de um momento para o outro, a disparar às duas, três ou quatro horas da madrugada, em noites sucessivas. É claro que esses despertares indesejados, com barulhos irritantes e estressantes, seriam responsáveis por sensações e consequências bastante desagradáveis.

Desta forma, o ataque de pânico tem sua origem no aparelho cerebral do medo que, por diversos fatores, passa a apresentar sua sensibilidade alterada. Diversas estruturas do cérebro fazem parte desse sistema complexo que envolve o medo, a ameaça, o risco ou o perigo: o córtex pré-frontal, a ínsula, o tálamo, a amígdala e o tronco cerebral (ver ilustração na página 173). Tais estruturas são responsáveis pelo disparo e pela condução dessas reações, intermediadas, é claro, pelos citados neurotransmissores.

O transtorno do pânico está classificado dentro dos transtornos de ansiedade, isto é, quando a ansiedade se exacerba e assume status de patologia, limitando a vida de diversas pessoas, fazendo-as sofrer de forma intensa e, às vezes, duradoura. Sem nenhuma dúvida, dentre esses transtornos de ansiedade, o transtorno do pânico é o que pode atingir as dimensões mais catastróficas, uma vez que os ataques se constituem de crises agudas de ansiedade, de proporções quantitativas imensuráveis em um curto espaço de tempo.

CAUSAS: O FIO INVISÍVEL DO PÂNICO

As pessoas que sofrem de transtorno do pânico não costumam relacionar algum fato ou motivo óbvio que justifique a ocorrência dos primeiros ataques de pânico. No entanto, o que se constata na prática clínica é que, na grande maioria dos casos, existe, sim, uma ligação com os eventos da vida dessas pessoas, responsáveis pelo desencadeamento das primeiras crises. Em uma investigação mais acurada, pode-se observar que esses eventos ou circunstâncias não ocorreram nas últimas horas, últimos dias ou semanas, mas entre seis e 18 meses antes.

Em geral, as pessoas com pânico ignoram totalmente essa ligação retrógrada, por isso resolvi denominá-la *fio invisível*. Todavia, a conexão existe, e os pacientes normalmente fracassam em correlacionar os acontecimentos, o que demonstra estarem procurando no lugar ou no tempo errado. Eles, raramente, olham para um período de tempo que seja superior ao dia anterior, na tentativa de explicar seus ataques de pânico. Essa é a razão pela qual os pacientes não conseguem estabelecer a ligação correta, uma vez que enquadram os fatos com um enfoque temporal totalmente distorcido.

É preciso olhar a meia distância quando se quer desvendar os fatos reais que desencadearam os primeiros ataques de pânico. Os pacientes, em sua maioria, respondem "não" quando pergunto se houve algum acontecimento significativo em suas vidas na ocasião da primeira crise de pânico. No entanto, conforme vão descrevendo os meses anteriores ao primeiro ataque, acabam por revelar os mais diversos tipos de eventos: ruptura de casamento, cirurgia de emergência, um grave acidente, a morte de um ente querido (pai, mãe, irmão). É óbvio que, naquela ocasião, essas pessoas estiveram sob um estresse intenso e prolongado e, por conta disso, o organismo preparou toda uma reação, visando muni-las de força e coragem para enfrentarem os acontecimentos traumáticos.

As demandas aumentadas de desempenho físico e mental, a que as pessoas estão sujeitas quando são expostas a eventos traumáticos, são suportadas pelo organismo por um determinado período de tempo (variável de pessoa para pessoa). Porém, existe um momento em que esse frágil equilíbrio é quebrado e a "reação do medo", acionada pelo organismo, passa a ser disparada sem qualquer motivo imediato. Surgem, então, os recorrentes ataques de pânico que transtornam de forma abrupta a vida das pessoas.

SEPARANDO O JOIO DO TRIGO

Fazendo uma analogia com o ditado popular "nem tudo o que reluz é ouro", podemos encontrar pacientes que apresentam crises ou ataques de pânico, mas que não apresentam transtorno do pânico. Isso ocorre porque essas crises foram originadas por outros motivos e não pelo fato de o paciente apresentar, efetivamente, o transtorno do pânico. Observo, com relativa frequência, ataques de pânico como consequência do uso de drogas como cocaína, *ecstasy,* anfetaminas (remédios para redução do apetite), álcool, maconha etc. Nesses casos, as crises de pânico costumam ocorrer no período de abstinência ou na intoxicação aguda, como é o caso das substâncias estimulantes (cocaína, anfetaminas ou mesmo excesso de cafeína e/ou nicotina).

Na prática clínica, constato que certos pacientes só procuraram o consultório por terem apresentado ataques de pânico em plena segunda-feira. Após uma investigação criteriosa, identifico que tais crises ocorreram após um final de semana de intensas badalações, associadas a abusos de substâncias, companhias fiéis dessas noitadas.

O exposto assemelha-se muito ao relato de Maurício, 25 anos, universitário e bancário:

> *Sei que sou um cara agitado e ansioso, mas nunca tive maiores problemas com isso. Tenho uma namorada que adoro, trabalho e estudo normalmente, sem problemas na faculdade. Não sou santo, sempre gostei de ir a festas e bares nos finais de semana, onde costumo beber, fumar muito e usar algumas "bolas" pra curtir e ficar mais solto e "ligado". Porém, de uns tempos pra cá vem acontecendo algo meio estranho. Estou tendo um tipo de "ressaca" diferente e muito ruim. Sinto falta de ar, dor no peito, meu queixo começa a tremer sozinho, os braços ficam dormentes e a sensação é de que vou morrer. Na minha cabeça passa um montão de coisas ao mesmo tempo e me dá a impressão de que posso fazer mal a alguém a qualquer momento. Nunca contei nada pra minha namorada e pros meus amigos, pois fico com vergonha de eles acharem que é frescura ou que sou fraco. Já estou evitando sair com minha turma, pois é uma coisa que não consigo controlar, vem de repente e é um mal-estar horroroso.*

Além de averiguar as situações de abuso de drogas, o médico também deve realizar uma cuidadosa avaliação clínica para que outras patologias clínicas, que costumam provocar sintomas semelhantes a uma crise de pânico, possam ser descartadas. As principais situações clínicas que devem ser eliminadas, antes de firmar o diagnóstico de certeza do transtorno do pânico, são:

- *Hipertireoidismo*: conjunto de sinais e sintomas decorrentes do excesso de hormônios da tireoide;
- *Hipotireoidismo*: diminuição do funcionamento da tireoide;

- *Hiperparatireoidismo*: caracterizado pelo excesso de funcionamento das glândulas paratireoides;
- *Prolapso da válvula mitral*: anormalidade cardíaca valvar mais comum, que pode ocasionar fadiga e palpitações;
- *Arritmias cardíacas*: alterações do ritmo cardíaco normal;
- *Insuficiência coronariana*: deficiência da artéria coronária, responsável pela irrigação do coração;
- *Crises epilépticas* (especialmente as do lobo temporal);
- *Feocromocitoma*: tumor benigno localizado nas glândulas suprarrenais (85% dos casos), com flutuação da pressão arterial, cefaleia, sudorese, palpitações;
- *Hipoglicemia*: baixo nível de glicose no sangue.

O PROBLEMA NÃO VEM SOZINHO

É muito comum que o transtorno do pânico venha acompanhado de outras alterações comportamentais, denominadas *comorbidades* ou transtornos secundários. Na realidade são problemas que, com o passar do tempo, o transtorno do pânico acaba carregando "debaixo do braço", transtornando ainda mais a vida do indivíduo.

Outros transtornos de ansiedade (como as fobias), a depressão e a hipocondria são frequentemente encontrados nos pacientes com TP. A hipocondria pode ser justificada pela excessiva preocupação com a saúde, que faz com que o indivíduo utilize muitos medicamentos, se submeta a consultas médicas constantes e à realização de uma bateria de exames em curto espaço de tempo. A hipocondria é até esperada nos portadores de transtorno do pânico, já que estes se preocupam muito com o seu corpo, seu funcionamento e a sua reação nas diversas ocasiões da vida.

O sofrimento vivenciado por um portador do transtorno do pânico também pode ser deflagrador de grandes prejuízos nos diversos segmentos de sua vida:

FINANCEIRO/PROFISSIONAL

São expressivos os gastos financeiros com médicos e exames laboratoriais, além de faltas e afastamentos no trabalho com auxílio-doença e, às vezes, internações em UTI, clínicas e hospitais psiquiátricos, sem nenhum benefício. É também muito comum ocorrerem recusas de promoções por falta de segurança e desmoralização ou pedido de demissão e dispensa em função da agorafobia.

SOCIAL

Com a ocorrência sucessiva das crises, o paciente se "recolhe" como um bichinho acuado e se restringe ao seu convívio familiar. As recusas dos convites sociais tornam-se cada vez mais frequentes, devido ao receio de que uma crise ocorra a qualquer momento, o que leva automaticamente ao afastamento dos amigos e conhecidos. De mais a mais, as pessoas de seu convívio social não conseguem entender, de fato, o que se passa com esse paciente, a não ser que ele seja muito amigo ou que já tenha passado ou visto algo semelhante.

FAMILIAR

Após várias consultas médicas e exames, que demonstram que o indivíduo não apresenta "nada", pelo menos aparentemente, os familiares podem supor que todo o sofrimento não passa de falta de força de vontade e acabam por imprimir uma responsabilidade muito grande para que ele supere seus desconfortos sozinho. Além do mais, não é raro que o paciente necessite de companhia para sair ou ficar em casa, o que acaba por tolher a liberdade das pessoas de seu convívio e trazer aborrecimentos conjugais e/ou familiares.

O ALÍVIO DO DIAGNÓSTICO... E FINALMENTE O TRATAMENTO

Nunca pensei que um diagnóstico pudesse soar de forma tão generosa em meus ouvidos. Após uma longa jornada, sem rumo e sem esperança, compreendi o que eu tinha. Descobri que poderia melhorar e ter de volta a minha vida.

Indubitavelmente, os pacientes, em sua maioria, sentem um extremo alívio com o diagnóstico correto, pois encontram justificativas para os seus sofrimentos e descobrem que podem ser tratados. Nesse aspecto, a empatia do médico e/ou terapeuta, ao se colocar no lugar do paciente e identificar suas angústias, é de fundamental importância.

Nos tempos atuais, não cabe mais a figura de profissionais frios e insensíveis, com a postura de quem olha de cima, sem um mínimo envolvimento. É necessário que os pacientes se sintam acolhidos e respeitados, com uma conduta que se diferencie dos inúmeros contatos anteriores. Muitos deles já chegam ao consultório desesperançados e fragilizados, uma vez que em inúmeras situações foram avaliados e julgados como indivíduos que têm tantas queixas, mas que não apresentam "nada". Já passou a hora de os profissionais de saúde reverem seus conceitos e entender o "algo mais" que cada paciente carrega consigo. Um indivíduo com pânico não está, definitivamente, diante de uma ameaça *real*, mas seu sofrimento *existe* e é muito expressivo! Além disso, deveria ser da essência de quem cuida de pessoas ouvi-las com a alma e o coração, já que cada uma delas é detentora de todo um histórico de vida, emoções, cultura, hábitos e de toda a riqueza de uma experiência humana.

No meio de tantas informações, algumas corretas e outras sem o menor fundamento, o médico e/ou terapeuta modernos precisam ser também professores, ensinando, de forma simples, clara e confiante, tudo o que se passa com esse indivíduo: a evolução do seu quadro clínico, a conduta terapêutica a ser adotada, o tempo de tratamento e a sua real necessidade.

A maioria desses pacientes já viveu situações constrangedoras e humilhantes no seu dia a dia, e o sofrimento não foi pequeno. É comum que eles parem no meio do trânsito, sejam socorridos em pleno voo, interrompam suas compras e passeios, assustem seus familiares e preocupem a todos. Muitos perderam a esperança e a confiança em si mesmos; foram mal compreendidos e já consultaram inúmeros especialistas, sem qualquer explicação ou ajuda eficaz.

A esperança reina com o diagnóstico e tratamento adequados. Para tanto, é necessário que o médico esteja familiarizado com o assunto e que haja uma boa relação médico–paciente. A partir daí, a conduta terapêutica poderá ser estabelecida, com todas as chances de grande êxito.

TRATAMENTO MEDICAMENTOSO

No tratamento são usadas medicações que atuam de forma substancial nas crises de ansiedade e na prevenção de novas crises. Desde o início das pesquisas, pôde-se observar que alguns antidepressivos teriam seu mérito no tratamento do transtorno do pânico, como demonstraram experimentos com a imipramina, um antigo antidepressivo tricíclico. Atualmente temos a opção do uso dos ISRS (Inibidores Seletivos da Recaptação da Serotonina), que atuam com eficiência comprovada e com menos efeitos colaterais. Porém, destaco dois pontos importantes no que tange a esses medicamentos:

1. As substâncias conhecidas como antidepressivos têm sua ação reconhecida e segura em uma série de transtornos comportamentais além da depressão. Esse conceito é importante porque muitos pacientes perguntam o motivo de usarem uma medicação dessa categoria, se não se sentem deprimidos. A atuação desses

medicamentos no equilíbrio da serotonina (neurotransmissor que traz bem-estar ao indivíduo) tem efeitos extremamente positivos no quadro do transtorno do pânico e outros quadros ansiosos. Diminuem sensivelmente a ansiedade e, reconhecidamente, posso citar a *fluoxetina*, a *paroxetina* e a *sertralina*, além de outros mais modernos como o *citalopram* e o *escitalopram.*

2. A outra questão se refere ao tempo de ação terapêutica, que normalmente não é inferior a 20-30 dias, chegando em alguns casos a 45-60 dias, antes de se obterem resultados satisfatórios. Sendo assim, é imprescindível que o médico oriente seu paciente, advertindo-o, inclusive, de que no início do tratamento certos efeitos indesejáveis, porém passageiros, podem estar presentes. Essa informação é fundamental, pois alguns pacientes acabam por desistir do tratamento, ainda na fase inicial, por total falta de conhecimento.

Quando, no início da administração da medicação, os efeitos adversos surgirem, os pacientes podem ter a falsa impressão de piora, caso não sejam orientados pelo médico que os assistiu. De mais a mais, são de extrema relevância avaliações médicas periódicas, já que o vínculo e a perfeita sintonia entre médico e paciente tornam possíveis os ajustes, as trocas ou associações medicamentosas para o melhor conforto do paciente.

Outro tipo de medicação muito utilizada no transtorno do pânico pertence à classe dos benzodiazepínicos (tranquilizantes). De efeito notadamente ansiolítico (diminui a ansiedade), esses medicamentos possuem a vantagem de ter ação mais rápida, o que traz importante alívio das crises já no início do tratamento. Além disso, eles também são usados em situações de emergência e em circunstâncias inesperadas (do tipo SOS), o que garante maior segurança aos que sofrem do transtorno. Atualmente os mais usados são o *alprazolam* e o *clonazepam,* sendo este último de efeito mais satisfatório na prática clínica.

A experiência demonstra que a associação das duas classes de medicamentos no início do tratamento (antidepressivos e ansiolíticos) é bastante adequada. Aos poucos, procuro suspender o uso dos tranquilizantes, reservando-os somente para emergências, e mantenho apenas os antidepressivos. No entanto, diversas opções de tratamento são válidas, já que outros medicamentos podem ser usados no transtorno do pânico, ou já foram objeto de estudos e pesquisas, tais como os inibidores da monoaminoxidase (IMAOs), os betabloqueadores, a mirtazapina, a venlafaxina. No entanto, é sempre importante observar a máxima de que "cada caso é um caso".

Frequentemente os pacientes têm dúvidas em relação ao tempo necessário para o tratamento. Tudo depende das características de cada um e das respostas à medicação. Normalmente é recomendado um ano ou mais de tratamento antes de se retirar completamente a medicação, para que não haja recaídas. É importante ter em mente que não há nenhuma consequência mais grave em decorrência do uso prolongado da medicação, principalmente no que concerne aos antidepressivos. Os pequenos incômodos, ou efeitos adversos, são bem menores do que o alívio e o benefício geral alcançados com o controle das crises.

TRATAMENTO PSICOTERÁPICO

Outra conduta não medicamentosa e que considero fundamental no tratamento do transtorno do pânico é a terapia cognitivo-comportamental (TCC). A pessoa que sofre de pânico tende a experimentar uma sensação de perigo constante e ter interpretações distorcidas dos sintomas físicos, o que acaba acarretando, inicialmente, a evitação ou esquiva das situações nas quais os ataques ocorreram. Os sintomas físicos, como sensação de sufocamento, aumento do batimento cardíaco, suor, dentre outros, são supervalorizados e interpretados catastroficamente como um aviso de perda de controle ou morte iminente.

A terapia de base cognitivo-comportamental, portanto, irá restabelecer o pensamento do paciente em relação à sua segurança, à avaliação das crises, ao medo de outras crises e à agorafobia, além de fornecer exercícios que facilitam o controle da ansiedade e da própria crise, caso ela ocorra. A TCC trabalha métodos que envolvem controle da respiração, relaxamento, exposição às situações que lhe trazem temores e reestruturação cognitiva (mudança na maneira de pensar). Traz o auxílio necessário na descoberta de seus pensamentos automáticos e como modificá-los, alterando assim os sentimentos decorrentes deles, com benefícios no controle de seu comportamento.

Ela tem por objetivo estudar as condições nas quais se desenvolveram as crenças pessoais que, no momento, estão causando sofrimento à pessoa, impedindo-a de solucionar os seus problemas e conflitos e, assim, ajudá-la não somente a entender seus desconfortos, como também a solucioná-los. Com essa abordagem o terapeuta funciona como uma espécie de "técnico" ou "treinador", com o qual o paciente aprende a ver de forma diferente o seu transtorno, dando uma nova interpretação aos fatos e sintomas que o acompanham.

Além das estratégias já citadas, outra muito utilizada é a exposição *interoceptiva*, na qual o paciente experimenta as mesmas sensações físicas percebidas no momento de um ataque de pânico, mas agora em ambiente seguro como o consultório ou sua casa, na presença de pessoas conhecidas e confiáveis. Portanto, exercícios como rodar rapidamente em uma cadeira giratória não são coisa de "maluco", mas, sim, uma das técnicas utilizadas para que o paciente se habitue à sensação de tontura que, muitas vezes, está presente numa crise de pânico.

A seguir, estão relacionadas algumas dicas que podem ser muito úteis ao paciente no momento de crise:

➲ Quando a crise começar, procure se lembrar de que irá sofrer e ter medo, mas essa angústia é passageira e você não morrerá.

➲ Se estiver em casa, procure deitar, relaxar e de preferência ouvir uma música ou técnicas de relaxamento.

➲ Tenha absoluta certeza de que a crise não durará muito tempo, mas somente alguns minutos. Muito embora pareça uma eternidade, o pico máximo da crise chega em 10 minutos. Após isso, os sintomas indesejáveis diminuirão paulatinamente até desaparecerem por completo.

➲ Quanto mais você relaxar, mais rápido passará a crise.

➲ Procure fazer a "respiração diafragmática", que consiste no seguinte:

a) coloque uma das mãos na barriga e outra na região do peito;
b) inspire profundamente, procurando distender apenas o abdômen e não a região do peito;
c) ao expirar, solte o ar pela boca até sentir sua barriga totalmente vazia;
d) inspire suavemente pelo nariz (contando até três) e expire pela boca por um período maior (contando até seis). O ar não deve ser soprado no momento da expiração.

ESPERANÇA E VIDA QUE RETORNAM

Inicio este tópico com o relato de experiência de Rosiane, 32 anos, que traduz, de forma precisa, o resgate da esperança e da qualidade de vida ao encontrar diagnóstico e tratamento bem-sucedidos:

Depois de muito sofrer e não ter a menor noção do que se passava comigo, encontrei uma conhecida que não via há tempos. Expliquei toda a minha angústia de tantos anos e, coincidentemente, ela já havia passado pelo mesmo problema e, graças ao tratamento, estava se sentindo ótima. Então, eu não era a única, pensei! Existia um nome para aquele mal-estar, diferente de to-

dos os rótulos que eu já tinha ouvido. A alegria foi tão intensa, que meu desejo era me consultar imediatamente com o psiquiatra que ela me recomendou. Naquela noite, fui tomada de uma forte emoção, uma vontade enorme de viver! Abraçava meus filhos de forma diferente e beijava-os o tempo todo. Queria dizer-lhes o quanto eu estava feliz por ter ouvido de alguém a possibilidade de tratamento e alívio do meu sofrimento. Dois dias depois, lá estava eu no consultório médico falando tudo que havia passado. Senti um respeito, um carinho, uma solidariedade por parte dele, que nenhum profissional demonstrou em minhas peregrinações. Ele me explicou todo o processo do pânico e me disse algumas palavras que guardo até hoje: "O transtorno do pânico é tratável e você vai ficar bem. Você vai ver o mundo de outra maneira e ele será agradável e seguro para você, confie!"

Hoje tomo medicamentos controlados, mas não os vejo como inimigos e sim como aliados, pois sei que são necessários, por enquanto. Realmente minha vida tem outro sabor. Estou tentando ganhar o tempo perdido. Às vezes me pego rindo sozinha e hoje olho pela janela e admiro a chuva, o vento e tudo o que temia, sem o menor motivo para isso.

Agradeço muito a Deus por me sentir viva, com o astral lá em cima, e ter a minha vida de volta.

Não há dúvidas de que há um longo caminho a percorrer na descoberta da real causa do transtorno do pânico e para que o tratamento seja uma tarefa menos espinhosa para quem sofre do problema. Contudo, vale ressaltar que a informação é uma peça-chave para isso e, por mais que se fale sobre o assunto, ainda é muito pouco diante do sofrimento com que me deparo diariamente em consultório.

A tendência é sempre estigmatizar qualquer condição ou problema que afete o nosso cérebro. No entanto, quem sofre de pânico, e hoje recebe ajuda especializada, sabe a real importância de cortar essa ciranda com melodias nada festivas. O pânico "cutuca e machuca", e quem é da família sabe que respinga em todo mundo.

A RECONSTRUÇÃO

Para as vítimas do pânico, o problema parece confuso e ilógico; porém, quando elas começam a compreender a reação involuntária de medo que nosso organismo possui para nos proteger, tudo passa a fazer sentido.

A vida de quem sofre desse transtorno gira em torno do pânico e do medo. Mas é importante saber que é possível superar tudo isso, sair da órbita aterrorizadora do medo e voltar a ter uma vida normal. No entanto, quando isso acontece, a pessoa geralmente necessita fazer alguns rearranjos em sua vida cotidiana. Os anos de concentração em torno do pânico frequentemente significam que o indivíduo deixou de lado muitas coisas que faziam parte de sua vida (profissão, lazer, família etc.) e que davam sentido à sua existência.

É de total relevância deixar bem claro que o transtorno do pânico não prejudica de modo permanente suas funções mentais. Estas permanecem incólumes, mesmo após as piores experiências de pânico. A concentração, a memória, as capacidades intelectuais, a alegria e a sensação de bem-estar são apenas temporariamente suprimidas pelo medo. Nenhuma delas se perde de forma permanente. Tudo pode ser recuperado, e até mesmo melhorado, com a superação do pânico.

Em se tratando de pânico, a citação de Nietzsche (filósofo alemão do século XIX) resume bem o processo do sofrimento, crescimento e encorajamento aos pacientes: "O que não me mata me fortalece."

Se eu tento ser direto,
o medo me ataca
Sem poder nada fazer
Sei que tento me vencer
e acabar com a mudez
Quando eu chego perto, tudo
esqueço e não tenho vez
Me consolo, foi errado
o momento, talvez
Mas na verdade nada
esconde essa minha timidez

BIQUINI CAVADÃO — Timidez

CAPÍTULO 3

FOBIA SOCIAL:
TIMIDEZ, DÁ UM TEMPO!

É comum ouvirmos amigos, parentes e até mesmo desconhecidos afirmarem que são tímidos. Uns, ainda que apresentem certa extroversão social, juram que no fundo, bem lá no fundo, são tímidos essenciais. Mas afinal, o que é timidez?

É com total franqueza que lhes afirmo que até hoje, após mais de vinte anos de profissão, não consegui elaborar nenhuma definição que possa, de fato, descrever o que é a timidez. Para meu consolo, pude verificar, ao aprofundar meus estudos nessa dimensão humana tão intrigante, que vários autores e pesquisadores também tentaram elaborar teorias que pudessem desvendar essa faceta do comportamento humano que aflige tantas pessoas.

Apesar de existirem muitas teorias sobre a timidez, ninguém sabe exatamente o que ela significa. Por outro lado, todos são unânimes em reconhecer sua força. Isso porque a timidez pode transformar toda uma existência. Enquanto ela evoluir ao longo da vida, é capaz de estender seus "tentáculos" por todos os aspectos da vivência humana. Isso inclui os planos profissionais, reduzindo ou impossibilitando aspirações e desempenhos; as questões pessoais e sociais, como dificuldades em relacionamentos afetivos (noivados, casamentos, criação de filhos); a vida acadêmica e até o estabelecimento de elos de amizade e companheirismo. A timidez costuma se transformar, ou melhor, se intensificar, à medida que amadurecemos e enfrentamos novos desafios.

No dia a dia, costumamos identificar a timidez pelo desconforto e pelas inibições que as pessoas apresentam em seus comportamentos, quando se encontram na presença de outras pessoas. As manifestações mais comuns e facilmente perceptíveis são: o silêncio, o retraimento físico, o rubor na face (vermelhidão no rosto), a gagueira na fala e a sensação de ansiedade. Quando utilizo a expressão "inibição do comportamento", refiro-me à timidez que pode ser observada na forma de quietude, do afastamento das pessoas e/ou de ambientes agitados ou estimulantes.

Em minha prática clínica diária, pude observar que os tímidos ficam inibidos ou retraídos quando enfrentam o "novo", principalmente em situações sociais não familiares. Eles se preocupam excessivamente com os seus desempenhos sociais e também com o julgamento que as pessoas farão de seus comportamentos. Para eles, situações sociais são eventos imprevisíveis e incontroláveis.

Constato também que as pessoas tímidas, em sua grande maioria, tendem a seguir rígidas e velhas rotinas, uma vez que já foram vivenciadas e testadas por elas. Por isso mesmo, os tímidos agem de forma relativamente constante, com o intuito de evitar as novidades e as incertezas do cotidiano. Tal qual numa luta, criam uma tática de fuga ou evasão para se sentirem mais seguros. No entanto, essa mesma segurança acaba por limitar muito as possibilidades de experiências vitais, contribuindo para alimentar ainda mais a engrenagem da timidez. É aquela velha história de que tudo na vida tem seu lado positivo e seu lado negativo, até porque não existem ganhos sem perdas, e viver é o eterno desafio de equilibrar a trama da nossa existência.

Antes de prosseguir, é fundamental fazer uma pequena, porém necessária, distinção entre timidez e introversão, pois a maioria das pessoas confunde essas duas características do comportamento humano. Pessoas introvertidas não são necessariamente tímidas. Elas têm as habilidades de convívio social e autoestima suficiente para obterem êxito nos relacionamentos interpessoais, porém preferem explicitamente ficar sozinhas. Os introvertidos se sentem bem, e até mesmo revigorados, pela solidão voluntária e não apresentam qualquer ansiedade ou necessidade de aprovação quando estão na companhia dos outros. A inibição, os pensamentos de derrota e a ansiedade sobre o desempenho, tão frequentes nos tímidos, não ocorrem com os introvertidos.

Quando as pessoas tímidas se abrem e revelam seus sentimentos, geralmente em suas terapias, demonstram um desejo intenso de que as outras pessoas as notem e as aceitem. No entanto, julgam-se incapazes de exercer as habilidades, os sentimentos, os pensamentos e as atitudes necessárias a uma boa interação social.

Importante ressaltar que o fato de as pessoas tímidas terem dificuldades de se relacionar socialmente não significa que elas sejam *antissociais*. Isso é um grande equívoco! É preciso ficar claro que indivíduos antissociais são aqueles que se relacionam sem qualquer receio ou constrangimento com diversas pessoas, mas não seguem nenhuma ética ou valores morais necessários para uma boa e saudável convivência social. Esses indivíduos, também conhecidos como *sociopatas* ou *psicopatas*,* geralmente estão camuflados de pessoas "do bem" e utilizam-se da boa-fé e generosidade dos outros para obterem vantagens próprias. Os antissociais ou psicopatas são frios, manipuladores e incapazes de sentir culpa, remorso ou compaixão. Abrangem desde os estelionatários, golpistas e corruptos, até os perigosos transgressores de regras sociais, como os assassinos ou *serial killers*. Sendo assim, chamar pessoas tímidas de *antissociais* é um erro grave e uma enorme injustiça cometida com elas.

Na timidez, ocorre justamente o contrário. Pessoas tímidas querem se aproximar das pessoas de forma natural, espontânea, mas a cruel presença da inibição é responsável por muito sofrimento. Os tímidos apresentam sociabilidade, ou seja, possuem o desejo de se relacionar com os outros, mas não sabem como fazê-lo.

---

* Tema do livro *Mentes Perigosas – o psicopata mora ao lado*.

A natureza da timidez é multifatorial, isto é, sua causa depende de vários fatores, que incluem basicamente o nosso temperamento – herança genética que determina nossa bioquímica cerebral e nossa reatividade diante das coisas – e nossas vivências acumuladas desde a mais tenra idade. Por isso mesmo, a timidez se desenvolve na medida em que amadurecemos e somos desafiados a enfrentar novas circunstâncias. É devido a essa natureza mesclada (genética e vivências) que algumas pessoas passam por fases de timidez e as superam, enquanto outras, em função de grandes decepções ou dificuldades constantes, perdem as esperanças e se retraem de forma intensa para dentro de si.

A timidez costuma ser bastante comum na adolescência. Nessa fase da vida o indivíduo passa a se preocupar muito com a imagem que os outros fazem dele. Não é à toa que, nesse período, tanto meninos como meninas tendem a andar em grupos específicos, nos quais são aceitos por apresentarem determinados comportamentos, pensamentos, visuais e posturas. Esses grupos funcionam como uma "muralha de proteção" para os adolescentes, pois criam uma sensação de segurança coletiva e aliviam as dificuldades que eles apresentam nas interações sociais mais amplas, que deveriam ser exercidas de forma individual.

De certa forma, a timidez é uma ansiedade normal, e podemos afirmar que a maioria das pessoas se sente ansiosa em situações sociais. Exemplos típicos de circunstâncias que podem fazer qualquer pessoa se sentir tensa ou tímida são: as entrevistas de emprego, falar em público, encontros afetivos, festas surpresa de aniversário etc. Todos nós já passamos por algum tipo de situação como essas e podemos lembrar, sem muito esforço, as batidas aceleradas do coração, as mãos levemente trêmulas e úmidas e aquele "friozinho" na barriga. Essa ansiedade social costuma passar rapidamente, durante ou logo após o término do evento gerador da ansiedade. Dessa maneira, a ansiedade social ou timidez não é incapacitante e pode, muitas vezes, até contribuir para um bom desempenho em determinadas situações sociais. Isso porque o tímido, por se saber tímido, tende a se preparar previamente e com mais afinco para esses eventos.

Tal qual a tristeza, que é uma reação normal dos seres humanos, e a depressão (sua correspondente adoecida), a timidez também é uma reação humana normal e, às vezes, útil. Já a fobia social ou o transtorno de ansiedade social (TAS) é a sua equivalente patológica.

QUADRO DE DIFERENÇAS ENTRE TIMIDEZ E TIMIDEZ PATOLÓGICA

Ansiedade Social Normal (ASN) (Timidez)	*Transtorno de Ansiedade Social (TAS) (Timidez patológica)*
Necessidade moderada de aprovação pelos outros.	Necessidade extrema e absoluta de aprovação pelos outros.
Pode apresentar uma expectativa de aprovação em relação aos outros.	Expectativa constante de avaliação negativa pelos outros.
Consegue tolerar a desaprovação.	A desaprovação é vista e sentida como uma grande tragédia.
Gafes sociais são esquecidas com relativa naturalidade.	As gafes sociais são remoídas na forma de pensamentos obsessivos, acompanhados de tristeza e autorrecriminação.
Reações duvidosas dos outros são interpretadas com razoável flexibilidade.	Reações duvidosas dos outros sempre são interpretadas de forma negativa.

FOBIA SOCIAL OU TRANSTORNO DE ANSIEDADE SOCIAL (TAS) QUANDO A TIMIDEZ SE TORNA PATOLÓGICA

O transtorno de ansiedade social (TAS) ou fobia social é muito mais do que simples timidez. Ele ocorre quando a ansiedade é excessiva e persistente ou constante. Há um medo enorme de se sentir o centro das atenções, de ser permanentemente observado ou julgado negativamente. Os eventos sociais são preferencialmente evitados ou, quando isso não é possível, são suportados com imenso sofrimento. Na maioria das vezes, o medo e a ansiedade começam dias ou semanas antes de o evento social ocorrer e são desencadeados pela mera expectativa de vivenciar a situação temida. Como se não bastasse esse sofrimento prévio, após o evento é comum o tímido patológico ficar avaliando, de forma negativa, a sua performance.

O portador de TAS, fobia social ou timidez patológica costuma se isolar e sofrer uma profunda sensação de solidão. Ele julga ser o único culpado por seus problemas e que os mesmos não seriam compreensíveis para as outras pessoas.

A ansiedade excessiva na presença de outras pessoas é o principal sintoma do transtorno de ansiedade social. Essa ansiedade está diretamente relacionada com o medo de ser avaliado negativamente pelos outros e pode se apresentar de forma circunscrita ou generalizada. Na circunscrita, a ansiedade excessiva encontra-se restrita a uma ou poucas situações como comer, escrever ou falar em público. Já no tipo generalizado, a ansiedade exacerbada ocorre em grande número de situações sociais, tais como falar com estranhos, ir a banheiros públicos, falar com pessoas hierarquicamente superiores ou em quaisquer situações em que a pessoa possa ser observada, avaliada ou julgada.

Na maioria das vezes, as situações potencialmente geradoras de ansiedade excessiva são vividas com intenso desconforto ou quase sempre evitadas. O contato ou, simplesmente, a expectativa de contato com essas situações desencadeia sintomas físicos visíveis como rubor facial (vermelhidão no rosto), sudorese intensa (suor, principalmente na parte superior do corpo), tremores, tensão muscular, fala tremida, taquicardia e boca seca. Na maioria dos casos de TAS, o paciente acredita que todos ao seu redor percebem a sua extrema ansiedade. Este fato contribui para que ele fique mais tenso, pois julga que as pessoas o acham estranho, nervoso e até mesmo arrogante.

Os sintomas de ansiedade em pacientes com fobia social, eventualmente, podem se manifestar como um verdadeiro ataque de pânico. A pessoa é dominada por uma intensa sensação de medo, de que algo terrível possa ocorrer com ela, inclusive morrer, além de apresentar todos os sintomas físicos relativos a uma crise de pânico. Nestes casos, o fóbico social tenta fugir da situação desencadeadora da tensão o mais rápido possível, o que acaba por lhe causar sentimentos profundos de humilhação e vergonha.

Carlos é comerciário, tem 29 anos e resolveu procurar ajuda quando já havia passado por um longo período de sofrimento. Sobre isso, ele relata:

Sou muito tímido. Aliás, sinto que é mais do que isso, porque não consigo ter contato com muita gente. Em todos esses anos da minha vida evitei pessoas que não conheço, preferindo ficar em casa a frequentar lugares, onde poderia me divertir um pouco. Terminei meus estudos do colégio, mas não tive forças para enfrentar a faculdade. Sempre que precisava perguntar alguma coisa ao professor ou colega, minha voz começava a tremer e me dava um "branco total", passava a maior vergonha e meus colegas me ridicularizavam. Até tentei fazer cursinho, mas era muito difícil permanecer na sala de aula, não conseguia abrir minha boca e minha vontade era sair correndo dali. Falar com alguém é um verdadeiro suplício: fico muito tenso, transpiro bastante e meu coração dispara. Trabalho desde os 19 anos na empresa da minha família, que é o meu "porto seguro", mas sempre evito ter contato com os clientes. Perdi várias namoradas, pois nunca sei começar direito uma conversa, parece que não tenho assunto e fico sem jeito. Todas as tentativas foram absolutamente frustradas e sinto que sou a pior pessoa do mundo. Preciso de ajuda, isso não pode ser normal.

Pelo relato anterior, pode-se observar que o transtorno de ansiedade social costuma causar grandes prejuízos na vida profissional, escolar, social e afetiva das pessoas. Algumas delas até conseguem ir a uma festa ou mesmo fazer novos amigos, no entanto, apresentam ansiedade extrema para falar, comer ou escrever na frente de alguém. Outras, porém, chegam a evitar praticamente qualquer situação social; o sofrimento é grande. O importante a destacar não é em qual situação o indivíduo fica ansioso demais, mas, sim, a forma, a intensidade e a quantidade com que o medo afeta sua vida.

COMO PENSAM OS TÍMIDOS PATOLÓGICOS (FÓBICOS SOCIAIS)

Como visto, os indivíduos que sofrem de transtorno de ansiedade social ou timidez patológica possuem um modo peculiar de pensar sobre si mesmos. Neste aspecto, todos eles têm medo excessivo de serem o foco da atenção dos outros e avaliados negativamente. Essa maneira de pensar domina de tal forma o cotidiano dessas pessoas que interfere drasticamente em seus diversos setores vitais, em que há necessidade de interação social e/ou exposição pública.

Os pensamentos ou as crenças que povoam a mente dos fóbicos sociais, no que tange à sua própria autopercepção, podem ser sintetizados por quatro pensamentos básicos em situações sociais:

- Tenho de parecer competente.
- Se cometer qualquer erro, ninguém vai gostar de mim.
- Se perceberem o quanto estou ansioso, vão me julgar um tolo.
- Se não conseguir falar nada interessante sobre um determinado assunto, será uma tragédia.

COMO OS FÓBICOS SOCIAIS PENSAM QUE OS OUTROS PENSAM

Como se não bastassem os pensamentos tão autodestrutivos que os fóbicos sociais nutrem por si mesmos, eles ainda possuem a mente povoada por crenças sobre o que as pessoas ao seu redor pensam a seu respeito. Esses pensamentos podem também ser sintetizados por quatro frases básicas, que nos dão toda a dimensão da visão depreciativa que o fóbico social imagina que as pessoas têm dele:

- Que cara idiota.
- Ele não consegue se controlar e só faz vexame.
- Ele tem algo de muito errado.
- Ele é muito estranho mesmo, tem algo de esquisito.

QUEM SOFRE DE TIMIDEZ PATOLÓGICA?

A pessoa que sofre de transtorno de ansiedade social costuma achar que seus problemas com os outros são algo que somente ela sente e, por essa razão, são incompreensíveis para as demais pessoas. Por esse motivo, ela passa a se isolar cada vez mais e acaba vivendo uma insuportável sensação de solidão.

O TAS acomete cerca de uma em cada oito pessoas. Afeta homens e mulheres, aproximadamente na mesma proporção, costuma iniciar na adolescência e perdurar por toda a vida (curso crônico), se não for tratado. Esconder os sintomas por vergonha só aumenta o problema, pois atrasa o início do tratamento, que será mais eficaz quanto mais cedo puder ser estabelecido e seguido pelo paciente.

O TAS E SEUS ASSOCIADOS

Na medicina do comportamento humano, infelizmente, um transtorno costuma vir acompanhado de outros transtornos, denominados *comorbidades*. No caso do TAS ou fobia social, a depressão e o abuso de álcool ou outras drogas são parceiros bastante constantes e representam doses a mais de sofrimento para os portadores.

No caso da depressão, além de seus sintomas já descritos e analisados, o paciente com TAS passa a apresentar um sentimento de tristeza persistente, perda do interesse e do prazer, redução geral da energia física e mental, dificuldades do sono, da atenção, da concentração, do raciocínio e do apetite. Como se não bastasse, a pessoa ainda se sente culpada por não obter um bom desempenho social, profissional ou afetivo, a ponto de pensar em dar cabo à própria vida para aliviar seu sofrimento. A presença da depressão em um paciente com TAS torna o caso mais sério e mais urgente de ser tratado de forma eficaz, uma vez que a cota extra de dor advinda da depressão dificulta muito a melhora da ansiedade social excessiva que, cá entre nós, já é bastante difícil de ser superada.

Outro parceiro indesejável do transtorno de ansiedade social é a "automedicação", ou seja, o paciente tenta vencer os sintomas da timidez excessiva utilizando álcool, drogas ou medicamentos inadequados. A intenção até que não é ruim, já que o tímido patológico está tentando se tornar "mais sociável". Mas, como todos nós sabemos, boas intenções nem sempre nos conduzem a bons locais ou a bons resultados: o alívio obtido com o abuso de álcool e outras drogas e medicamentos impróprios pode ocasionar problemas na vida do paciente e prejudicá-lo ainda mais.

É interessante observar situação semelhante no depoimento de Marisa, 25 anos, e sua luta de anos com a fobia social:

Desde que eu me entendo por gente sempre fui muito insegura. Lembro-me bem das sensações desagradáveis na minha infância e adolescência que, na época, eu definia como medo. Enquanto crescia, mais difícil se tornava meu relacionamento com as pessoas. Na faculdade tudo ficou mais complicado, praticamente insuportável. Via-me só, tentando lidar com situações de que, até então, havia me esquivado. Tinha medo das pessoas distantes e desconhecidas, nunca soube explicar direito. Enquanto o pessoal da minha classe formava seus grupinhos, eu me esforçava pra não demonstrar o que tanto me afligia, fugindo de todos. Encontros com o pessoal da turma após as aulas era uma verdadeira tortura! E foi nesse período que comecei a beber.

Primeiro foram os chopinhos pra relaxar, mas depois as portas se abriram pra outras drogas também. A maconha era a minha grande aliada, pois conseguia enfrentar tudo e todos sem maiores problemas e a qualquer hora do dia. Estava "livre" para viver. Contudo, meu rendimento acadêmico foi decaindo a olhos vistos e eu sabia que precisava de apoio. Felizmente pude contar com o apoio incondicional da minha família que, além de palavras de incentivo e carinho, procurou um especialista. Consegui me livrar (só Deus sabe como!) das drogas e do álcool, porém me encontrar com as pessoas se tornou mais difícil. Como enfrentá-las, agora, de "cara limpa"?

Hoje sei que sofro de fobia social e faço tratamento pra isso. Muitas situações ainda são muito complicadas pra mim, e os sintomas desagradáveis não cessaram totalmente, mas a cada dia me sinto mais fortalecida. Tenho certeza de que falta pouco pra eu ter uma vida inteiramente normal.

Quando esta infeliz parceria (drogas e TAS) se estabelece, é essencial tratarmos ambas as alterações comportamentais. O abuso ou a dependência de substâncias pode potencializar os sintomas fóbicos, principalmente na abstinência das drogas utilizadas para aliviar o desconforto causado pela exposição social.

Embora o indivíduo se sinta mais "solto" e à vontade com o uso dessas substâncias, o que facilita o contato social, isso acaba por aumentar os sintomas do TAS, fazendo com que ele busque mais e mais "drogas" para se "automedicar". Isso causa efeitos deletérios para o organismo, os quais, muitas vezes, são piores do que o próprio transtorno que originou a sua dependência.

É o eterno ciclo do "bombeiro", que utiliza gasolina para apagar o fogo da floresta, em vez da água do riacho que passa a uma pequena distância dali.

E O TRATAMENTO?

Não há qualquer dúvida sobre a eficácia da combinação de medicação adequada e psicoterapia de linha cognitivo-comportamental para o tratamento do transtorno de ansiedade social, fobia social ou timidez patológica.

No que se refere ao tratamento medicamentoso do TAS, destaco a utilização de substâncias conhecidas como antidepressivas, os betabloqueadores e alguns tipos de benzodiazepínicos (calmantes ou tranquilizantes).

Tanto os betabloqueadores quanto os benzodiazepínicos controlam alguns sintomas específicos do TAS, como tremores, taquicardia e sudorese, e são mais eficazes nos tipos circunscritos (específicos) de fobia social, como assinar cheques em público, por exemplo. Mas é importante destacar que os benzodiazepínicos (alprazolam e clonazepam) podem ser utilizados no início do tratamento, para que ofereçam aos pacientes um alívio imediato de seus medos e tensões, em geral crônicos. Além disso, a associação dos benzodiazepínicos com alguns antidepressivos pode potencializar o efeito deles nos primeiros meses (dois a três) de tratamento. Após essa fase inicial, tanto os betabloqueadores quanto os calmantes devem ser retirados, gradativamente, e o tratamento ser calcado basicamente nos antidepressivos e na terapia cognitivo-comportamental.

Os antidepressivos que mostram eficácia no tratamento do TAS são: os inibidores seletivos da recaptação de serotonina (ISRS), os inibidores da monoaminoxidase (IMAOs) e um inibidor da recaptação de serotonina e noradrenalina (IRSN).

A experiência tem me levado a preferir os ISRS, tanto por seus resultados clínicos favoráveis quanto pela sua segurança e reduzida taxa de efeitos colaterais.

Os IMAOs, por serem medicações que exigem uma dieta rigorosa e específica e um monitoramento mais cuidadoso, em geral, devem ser evitados ou reservados para casos que se mostrem resistentes à utilização das medicações anteriormente citadas.

É fundamental entender que as medicações ajudam a controlar a ansiedade exacerbada, especialmente aquelas tão intensas que se manifestam como os ataques de pânico. Isso facilita muito, e de forma decisiva, que as pessoas possam enfrentar situações temidas e até evitadas a qualquer custo.

A terapia de base cognitivo-comportamental, tanto individual quanto em grupo, também é de grande importância para o tratamento do transtorno de ansiedade social. Com técnicas e tarefas específicas, a TCC visa mudar as crenças errôneas que o fóbico social tem de si mesmo, ajudá-lo a enfrentar as situações que lhe causem ansiedade, bem como "treiná-lo" para adquirir um melhor desempenho social.

Contudo, não se pode esquecer que o enfrentamento das situações temidas requer coragem e muita determinação do paciente. No decorrer do tratamento ele pode apresentar altos e baixos, afinal falhas e enganos fazem parte da vida de qualquer um, especialmente quando ele se permite a abertura de caminhos que levem ao desenvolvimento de novas e transcendentes habilidades. Além disso, um tratamento sério e honesto não promete fórmulas milagrosas, mas oferece subsídios para que o paciente tenha condições de enfrentar as situações sociais, e que o medo de passar por situações constrangedoras deixe de ser um problema tão sério, a ponto de impedi-lo de ser feliz.

Não poderia deixar de destacar que este transtorno é totalmente passível de ser superado, principalmente quando se têm metas e objetivos. Tenho total ciência das dificuldades vivenciadas por um fóbico social, mas é importante que ele, aos poucos, tente fazer novos amigos, participe de festas e reuniões, convide alguém especial para um encontro romântico, exponha suas opiniões diante dos colegas de trabalho, entre outras situações nas quais a capacidade de socialização faz toda a diferença.

Como todo caminho que nos conduz a bons lugares, o início exige empenho, dedicação e fé (crença na fração divina que há dentro de cada um de nós), no entanto, ao final de tudo, você terá a certeza de que valeu a pena. Será você com você mesmo, sem medos e sem ilusões. É como "pescar" a vida real e essencial que sempre esteve e estará dentro de cada um de nós.

Não me deixe só
Eu tenho medo do escuro
Eu tenho medo do inseguro
Dos fantasmas da minha voz

VANESSA DA MATA — Não me deixe só

CAPÍTULO 4

FOBIAS ESPECÍFICAS: O QUE OS OLHOS VEEM O CÉREBRO SENTE

Existem determinados assuntos que sempre geram discussões calorosas quando são postos em uma reunião descontraída entre amigos. Religião, futebol e política dão sempre o que falar, mas podem, muitas vezes, estremecer ou mesmo colocar fim em velhas amizades.

Outros temas, porém, despertam curiosidade e até sentimentos de cumplicidade. Sem dúvida, os medos específicos são esse tipo de assunto. Afinal, em termos de impedimentos gerados por certos medos, encontramos gente que não dirige, não anda de escada rolante, não suporta trovoadas ou escuridão; que se apavora ao ver insetos, aves ou animais. Existe também aquele grupo, não tão pequeno assim, que desmaia de forma súbita ao ver sangue, seja o seu próprio ou o de outras pessoas. Todos esses exemplos constituem o que a medicina denomina de *fobias específicas* que, até pouco tempo atrás, eram chamadas de fobias simples.

Parece uma bobagem semântica a troca de nome efetuada em relação a esses medos exagerados; no entanto, particularmente, essa nova denominação me agrada bastante, pois as fobias específicas, de simples, na maioria das vezes, não têm nada! Sua abordagem terapêutica costuma ser bem mais complexa que a fobia social ou timidez excessiva (discutida anteriormente), por exemplo, isso sem falar no seu diagnóstico e na sua compreensão psicodinâmica. Além disso, a falta de conhecimento do público em geral sobre as fobias específicas é, no mínimo, bastante considerável.

Quem de nós já não viu cenas de filmes em que o personagem se vê paralisado quando se percebe em um local muito alto ou se apavora quando o elevador pifa no meio do trajeto? Na vida real, quem não tem algum parente ou amigo que não apresente algum tipo de medo ou fobia específica? Praticamente todos nós já presenciamos ou fomos coadjuvantes de grandes "micos" públicos na companhia de amigos mais íntimos. Se você observar bem ao seu redor, sempre encontrará uma história para contar.

Em uma das edições de um *reality show* de grande repercussão da TV brasileira, os telespectadores puderam acompanhar o desespero vivenciado por uma das integrantes. Numa das festas promovidas pelo programa, cuja temática era o circo, ela ficou transtornada, diante das câmeras, ao se deparar com o colega fantasiado de palhaço. É claro que a maioria das pessoas, inclusive alguns participantes, não entendeu tamanho sofrimento diante de um personagem emblemático infantil, que só nos diverte. Mas não é tão simples assim: algo inofensivo para a grande maioria da população pode representar uma ameaça real e ser motivo de intenso sofrimento para algumas pessoas. Sem dúvida, a jovem sofre de fobia de palhaços, também conhecida por *coulrofobia*, e qualquer imagem, foto ou personagem pode deflagrar uma crise intensa de ansiedade.

Eu mesma tenho o caso de uma amiga que apresentava fobia a gatos. Para ela, aqueles animais peludos, elegantes e fofos eram tão ameaçadores e perigosos quanto um tigre ou um leopardo selvagem e faminto, que poderia atacá-la a qualquer momento. Perdi a conta dos ataques de desespero que Roberta apresentou em lojas, restaurantes, clubes, ruas, bancas de jornal e tantos outros locais onde nos deparávamos com um simples bichano. E pode apostar: aonde Roberta vai, um gato grande, gordo e lindo, invariavelmente, aparece.

Há alguns anos, eu e algumas amigas mais íntimas presenteamos Roberta com um belo jantar em um dos restaurantes mais chiques da cidade. Um local fechado e com certo requinte para comemorar os merecidos 30 anos da querida amiga. Escolhemos aquele restaurante pois, além de ser "a cara" da aniversariante, ela mesma nos tinha dito que era um dos únicos lugares em que não seria possível encontrar um gato.

Tudo corria muito bem, Roberta era só felicidade e o serviço estava caprichado, à altura da nobre ocasião. Entre risos e muita descontração, não faltaram mimos, aberturas de presentes, brindes, fofocas "da hora", lembranças da juventude e demonstrações de carinho explícito. Tínhamos a sensação de que o restaurante era inteiramente nosso e sequer percebíamos as muitas pessoas ao nosso redor.

Tudo perfeito! Repentinamente, Roberta se levantou pálida, deixou cair o guardanapo, seus talheres e alguns presentes, saiu em disparada em direção à porta e, na contramão, foi atropelando quem entrava no restaurante. Todas nós ficamos estarrecidas por alguns segundos, assim como as demais pessoas do recinto. Em fração de segundos, ela atravessou a rua em total desespero e se abrigou no prédio vizinho. Corri atrás e presenciei uma triste cena: minha amiga sentada, toda encolhida e tremendo, no sofá da portaria, grudada no porteiro que, em vão, tentava se desvencilhar e abrir a porta para eu entrar. Bati forte no vidro e gritei: "Roberta, solte o rapaz pra que eu possa socorrê-la!"

Funcionou! Entrei no prédio, segurei suas mãos e me limitei a abraçá-la, de forma que se sentisse mais protegida. Eu já sabia — não precisava nem perguntar que com certeza ela avistara um gato! Com o auxílio do próprio porteiro, consegui reaver minha bolsa. Nela, além da "maçaroca" que toda mulher carrega, havia uns remedinhos de emergência, que é natural que alguém da minha profissão carregue. Quando avistei aquele vidrinho, suspirei aliviada: Roberta não iria passar o finzinho do seu aniversário na emergência de um hospital.

Administrei as "santas" gotas debaixo da língua de minha amiga para que fizessem efeito o mais rápido possível e, após 15 minutos, ela conseguiu falar de forma menos ofegante e trêmula:

"Você viu aquele enorme gato malhado que passou pelo corredor do restaurante? Claro que você viu, parecia mais um leopardo!"

A festa acabou ali e o maître não sabia mais o que dizer para justificar aquele fato: um gato no restaurante mais recomendado da cidade. Por fim, ele desabafou: "Nunca ocorreu isso neste estabelecimento, só pode ser 'atração magnética' de sua amiga!" Tive vontade de rir, pois jamais tinha ouvido tal expressão para designar o fato curioso que as pessoas com fobias específicas relatam ao serem perseguidas pelos animais, objetos ou situações que eles tanto temem e evitam. Parece uma sina, uma verdadeira maldição, uma praga, não é mesmo? Não é bem assim: os fóbicos normalmente prestam atenção exacerbada em seus medos, por isso, acabam "vendo" (ou vivenciando) muito mais do que outros aquilo que tanto temem. Mas, enfim, como diz o ditado: "Yo no creo en brujas, pero que las hay, las hay!"

Diante do trágico final de noite, refleti por algum tempo sobre tudo que ocorreu e até tentei levar para o lado tragicômico, como costumo fazer com as nossas inevitáveis gafes cotidianas. Mas, sinceramente, fiquei muito triste ao ver a Roberta naquela situação, apavorada, descontrolada e refém de seu próprio medo. Logo ela, que dentre nós todas sempre foi a mais independente, determinada e bem-sucedida em sua brilhante e admirável carreira de executiva. Aquela mulher tão poderosa e resoluta, que comanda, e muito bem, um batalhão de pessoas; que nunca teve medo de assumir riscos em suas empresas e sempre viu na ousadia a sua melhor virtude profissional.

A coisa era séria: minha amiga realmente sofria de fobia de gatos, que a transformava numa garotinha amedrontada e indefesa. Um medo real, que limitava e transtornava muito a sua vida, e do qual era incapaz de se livrar sozinha. No dia seguinte, lá estava eu, explicando-lhe seu problema e o quanto precisava de tratamento.

Poderia contar uma centena de casos que atendi nos últimos anos, tal como o de um paciente que nunca saiu do país por ter fobia de avião. Ou, ainda, sobre aqueles que só frequentam médicos, advogados, amigos ou outros serviços caso o local seja uma casa ou em andares baixos de edifícios, devido ao medo de elevadores. Sem citar aqueles que carregam inseticidas poderosos em suas bolsas ou mochilas para se defenderem de ataques de insetos diversos (baratas, borboletas, cigarras etc.).

Permito-me contar também a história de um homem que se atirou ao mar, sem saber nadar, ao perceber que no navio havia uma aranha. O pobre indivíduo, em braçadas desesperadas e com ajuda de resgate, só se convenceu de retornar à embarcação quando lhe mostraram a aranha morta e prometeram jogá-la ao mar assim que ele retornasse. Proposta justa e segura para quem tem fobia de aranhas.

Todas essas histórias reais podem ser até engraçadas de se ouvir ou imaginar. Entretanto, para quem sofre do problema elas não têm a menor graça e trazem sempre lembranças de muito sofrimento. Quanto mais inócuo for o objeto (borboleta, por exemplo) ou a situação fóbica (tal como andar de escada rolante), mais sem sentido ou desproporcional parecerá aos outros esse pavor. Mas é fundamental que o leitor entenda que uma manifestação aguda, como a que ocorreu com minha amiga, é extremamente limitante e sempre deixa o indivíduo vulnerável a situações embaraçosas, agravando ainda mais o problema.

RECONHECENDO A FOBIA ESPECÍFICA

É importante ressaltar que existe uma grande diferença entre as pessoas que possuem um medo "normal" de um determinado objeto ou circunstância e aquelas que apresentam fobias ou medos patológicos. Como já dito, o medo de forma equilibrada é uma condição natural e necessária para todos nós; porém, para os portadores de fobia específica, ele é desproporcional, absurdo, inadequado e incompreensível. De mais a mais, o fóbico, diante da situação temida, apresenta sintomas físicos de extremo desconforto (transpiração excessiva, tremores, falta de ar, taquicardia, mãos frias, entre outros). Muitas vezes, só o fato de imaginar a situação indesejável já é suficiente para desencadear todo o quadro descrito. A fobia específica é capaz de modificar de forma drástica a rotina de alguém; trazer prejuízos significativos; expor o indivíduo ao ridículo; destruir sua autoestima, carreiras promissoras e sonhos de toda uma vida.

Para citar um exemplo simples e corriqueiro, alguém que possui apenas medo, ou asco, de algum tipo de inseto é capaz de enfrentá-lo ou até mesmo matá-lo, mesmo que para isso tenha de fazer um escarcéu e chamar a atenção de toda a vizinhança. Porém, os que de fato sofrem de fobia especifica desse animal apresentam incômodos físicos e psicológicos tão intensos, a ponto de não sossegarem enquanto não tiverem a plena certeza de que o "monstrengo" esteja estirado, morto, esquartejado e esturricado!

O DSM-IV-TR caracteriza a fobia específica como um medo exacerbado e persistente de objetos ou situações nitidamente discerníveis e circunscritas. A exposição ao objeto ou situação temida (chamado também de estímulo fóbico) desencadeia uma resposta de ansiedade que pode chegar à intensidade de um ataque de pânico (ver capítulo sobre transtorno do pânico).

Tantos os adultos quanto os adolescentes reconhecem que o medo é excessivo e descabido, mas mesmo assim, na maioria absoluta dos casos, os objetos e as situações são evitados com o maior empenho. O diagnóstico somente poderá ser considerado válido quando a esquiva, a fuga, o medo ou a antecipação ansiosa (ansiedade antecipatória) do encontro com esses objetos ou situações for responsável por uma interferência significativa no cotidiano da pessoa, prejudicando seu desempenho social e/ou individual ou, ainda, causar sofrimento em demasia.

Quem sofre de fobias específicas costuma dirigir o foco do medo aos possíveis danos que os objetos ou situações podem gerar. Por exemplo: para os indivíduos que têm fobia de avião, o foco do medo está na sua possível queda; na fobia de dirigir automóveis, a preocupação excessiva é com colisões, batidas ou acidentes na estrada; na fobia de cães, cavalos ou gatos, o medo está focado nas mordidas, e assim por diante.

As fobias específicas apresentam alguns subtipos:

➲ *De animais*: o medo é causado por animais, incluindo os insetos.

➲ *De ambientes naturais*: o medo é causado por circunstâncias da natureza, como tempestades, altura, enchentes, quedas-d'água etc.

➲ *De sangue – injeção – ferimento*: o medo é causado pela visão de sangue, ferimentos, receber injeções, submeter-se a cirurgias etc.

➲ *De determinadas situações (situacionais)*: o medo é causado por túneis, pontes, aviões, elevadores, direção, lugares fechados, travessias de barco etc.

➲ *De diversos fatos*: o medo é causado por medo de doenças, de engasgar, de vomitar ou, ainda, de situações que possam levar à asfixia (ou falta de respiração).

As fobias específicas são bastante comuns e acometem cerca de 11% da população geral, principalmente mulheres. O subtipo mais frequente é o situacional; no entanto, o paciente fóbico tem a chance de se esquivar dos objetos ou das circunstâncias. Se um indivíduo apresenta fobia de dirigir, por exemplo, utiliza outros meios de transporte. No caso da fobia de altura, ele pode evitar os lugares nos quais tenha de subir além de um determinado patamar e se sentir mais seguro.

Na prática clínica, costumo me deparar com pacientes que apresentam várias fobias de um mesmo subtipo (baratas, aranhas, cigarras, pombos etc.). Apesar de menos comum, fobias de diferentes subtipos também podem estar igualmente presentes em uma mesma pessoa. Como se não bastasse, associações com certos transtornos também são frequentes: fobia específica com agorafobia* e fobia específica com depressão, por exemplo. Em geral, e infelizmente, as pessoas só procuram tratamento quando os sintomas depressivos (tristeza, desânimo, autodepreciação etc.) já agravaram seu quadro fóbico e geraram outros desconfortos. Até que isso ocorra, os fóbicos específicos lutam o tempo todo para se manterem afastados dos objetos e das situações que lhes desencadeiem a crise paralisante de medo e ansiedade.

Durante muitos anos, e até recentemente, as fobias específicas eram associadas à existência de um trauma na vida da pessoa, e, a partir da sua ocorrência, passava a explicar todo o problema. Mas hoje se sabe, e é possível observar no atendimento desses pacientes, que a maioria dos fóbicos não apresenta nenhuma história de trauma que justifique seus sintomas.

O trauma tem um papel central no transtorno do estresse pós-traumático (TEPT),** tanto no desencadeamento quanto na manutenção do quadro clínico. Porém, em casos de fobia específica, nos quais se detecta um evento traumático, uma avaliação mais detalhada evidenciará que o medo e a ansiedade antecipatória já existiam nessas pessoas antes do trauma em si, provocando um quadro fóbico.

Sem qualquer sombra de dúvida, o tratamento mais eficaz para as fobias específicas é a psicoterapia cognitivo-comportamental. As medicações não apresentam resultados muito satisfatórios, principalmente se a psicoterapia não estiver associada. Além disso, se as substâncias utilizadas forem inadequadas ou estiverem em doses inapropriadas ou elevadas, podem agravar os quadros de fobias específicas.

---

* Medo de permanecer em locais de difícil acesso ao socorro. Visto no capítulo 2, sobre transtorno do pânico.

** O assunto será detalhadamente descrito no capítulo 5.

PARTICULARIDADES DAS FOBIAS ESPECÍFICAS: AS DIVERSAS FACES DO MEDO CIRCUNSCRITO

ANIMAIS

As fobias de animais podem ir desde os insetos até os animais de grande porte. A título de curiosidade, a fobia de cavalos foi descrita por Freud, no início do século passado, quando foi observado um caso típico em um menino de apenas 5 anos. Curiosidades à parte, as fobias de animais mais comuns são: as de insetos (baratas, borboletas, abelhas, mariposas, vespas, traças, cigarras etc.), aranhas, cobras, pássaros, cães, gatos, sapos, ratos, lagartixas, lacraias. A abordagem terapêutica mais eficaz para fobias desse tipo é a técnica da exposição, ou seja, o paciente entra em contato com o objeto temido. Quando a exposição é impossível, a *dessensibilização sistemática* pode preparar a pessoa para a exposição ao vivo, em um futuro próximo.

Em geral, a *dessensibilização sistemática* consiste em técnicas de relaxamento profundo, nas quais o paciente se imagina diante do objeto temido, por indução do terapeuta ou por meio de simulações (desenhos, fotos, imagens, filmes etc.). O objetivo é "treinar" e habituar o paciente a reduzir a ansiedade, no início do tratamento, fornecendo-lhe subsídios para o enfrentamento gradual, repetido e frequente das situações geradoras do medo, capacitando-o, em médio prazo, para a exposição na vida real.

ALTURA

As pessoas com fobia de altura, ou *acrofobia*, apresentam medo desproporcional quando realizam uma simples aproximação da janela de um prédio ou em locais altos, mesmo que estes sejam protegidos por grades ou vidros espessos, como os edifícios com vista panorâmica. Nessas situações, essas pessoas não conseguem olhar para baixo, pois sentem vertigem. As alturas geradoras de medos podem ser bastante diversas e vão desde escadas rolantes, ladeiras, passarelas, pontes, mezaninos de teatros até o topo de arranha-céus.

Os portadores de acrofobia costumam apresentar uma sensação muito desconfortável de perda do controle e imaginam que podem se jogar lá do alto. Outros sentem que estão sendo "puxados" para baixo.

LOCAIS FECHADOS

A fobia de locais fechados costuma estar sobreposta à agorafobia. É bem comum encontrarmos pessoas agorafóbicas que têm medo de locais fechados. Neste caso, devemos fazer uma observação mais acurada. Quando a esquiva, o desconforto e/ou a ansiedade antecipatória se restringem somente a lugares fechados, diagnosticamos a *claustrofobia*, ou fobia específica de locais fechados.

O grande temor do paciente que sofre de claustrofobia é o de ficar aprisionado e, consequentemente, não conseguir sair do local onde ele se encontra. Por isso, os objetos mais comuns desse tipo de fobia são os elevadores. A pessoa teme que ocorra uma falha mecânica na engrenagem do elevador e que isso a deixe presa por horas dentro daquele espaço restrito que, na maioria das vezes, é compartilhado com outras pessoas estranhas. Isso acarreta um verdadeiro desespero. Um dos pensamentos mais comuns nesses casos é o de ocorrer esgotamento do ar dentro do elevador, enquanto este se encontrar parado.

A seguir outros exemplos que caracterizam o quadro de claustrofobia:

- cabines telefônicas fechadas, mais comuns no exterior;
- escadarias de prédios comerciais: o medo é de ficar preso entre as portas corta-fogo, presentes entre os andares;
- banheiros;
- bancos com portas que travam;

- ônibus, metrô e outros transportes coletivos;
- aparelhos de ressonância magnética ou tomografia.

A pessoa com claustrofobia se sente muito mal em espaços fechados e é tomada por um medo intenso de não conseguir fugir dali. Dessa forma, o claustrofóbico, ao viajar de avião, não tem medo de que ele possa cair e sim de não ter como sair daquela aeronave. De maneira diversa, um indivíduo que sofra de fobia específica de avião, mas não de claustrofobia, tem pavor de que o avião possa sofrer uma pane e despencar.

SANGUE, INJEÇÃO E FERIMENTOS

A pessoa com fobia de sangue, agulhas ou ferimentos, ao entrar em contato com esses objetos ou situações, apresenta uma intensa sensação de náusea, seguida de desmaio (síncope). O medo e a ansiedade são sensações muito menos importantes que o forte enjoo e o desmaio subsequente. Esses dois fatores são os mais temidos por pacientes que sofrem desse tipo de fobia.

Para esses pacientes, evitar situações desencadeadoras de náuseas e desmaios é quase impossível. Afinal, pelo menos uma vez na vida, a maioria de nós já fez um exame de sangue ou uma pequena cirurgia dentária; precisou levar alguns pontos; presenciou um acidente durante o trajeto para o trabalho; ouviu relatos sobre tais situações; assistiu a filmes ou novelas com cenas de violência ou viu fotos com presença de sangue, ferimentos, agulhas etc.

Para se ter uma ideia do tamanho da encrenca que esse tipo de fobia pode gerar, deve-se ressaltar que alguns pacientes podem desmaiar de forma incontrolável diante da TV, simplesmente por assistirem, durante alguns minutos, a filmes com cenas de sangue ou cirurgias. Como técnica de dessensibilização para pacientes que sofrem desse tipo de fobia, é interessante utilizar alguns seriados americanos tais como *E. R.* (Plantão Médico, no

Brasil) e *House*, antes de expô-los às situações reais que envolvam sangue, agulhas e ferimentos. Logicamente que com o devido acompanhamento psicoterápico e em consultório.

Esse tipo de fobia apresenta ainda um padrão fisiológico de resposta ao conteúdo fóbico muito diferente do padrão habitual dos demais medos patológicos. Nas fobias em geral, o coração acelera, aumentando rapidamente seus batimentos e, com eles, eleva-se também a pressão arterial. No entanto, na fobia de sangue e afins ocorre justamente o oposto: o coração desacelera, passa a bater cada vez mais lento, chegando ao ponto de fazer uma breve parada e provocar o desmaio. É fácil entender por que a síncope ocorre: ao parar de bater, mesmo que por poucos segundos, o coração deixa de "bombear" sangue para o cérebro e este, numa reação reflexa, que visa poupar energia, faz uma redução drástica em suas atividades gerais, "desligando" seus circuitos elétricos.

Sem sangue, o cérebro não tem condições energéticas de funcionar, pois deixa de receber alimento (glicose) e oxigênio (hipóxia), duas substâncias essenciais para o funcionamento de todos os neurônios. Outro aspecto curioso da fobia de sangue e afins é o fato de ela apresentar um componente genético bem mais expressivo que o observado nas outras fobias. Estudos diversos apontam percentagens que variam de 60% a 70% de compatibilidade genética entre parentes próximos para esse tipo de fobia.

É importante ressaltar que no início do processo de dessensibilização o paciente deve ficar deitado para evitar que apresente "quedas", em função da redução dos batimentos cardíacos e da pressão arterial, provocadas pelas cenas de sangue e ferimentos durante a exposição virtual.

TEMPESTADES, RAIOS E TROVÕES

Definitivamente, as pessoas que sofrem de fobia de tempestades tremem só em ouvir falar do verão! Essa época do ano costuma trazer as famosas tempestades ou chuvas próprias da estação, com muitos raios, trovões, enchentes, engarrafamentos, o que representa grandes transtornos para boa parte da população do país. Mas, para as pessoas que, além de receios, possuem verdadeiro pavor de tempestades, a estação das águas pode criar uma série de limitações profissionais e pessoais.

Para início de conversa, essas pessoas, em sua maioria, não saem de casa antes de consultar algumas previsões do tempo. Se já estiver chovendo, dificilmente se aventuram a botar o pé na rua. Outras se escondem em lugares fechados, como armários, para não ver os clarões dos raios e tentar reduzir o som dos trovões. São as ações extremadas com que tentam aliviar o desespero que as tempestades lhes despertam.

Como as tempestades são fenômenos naturais, sobre os quais não temos controle algum, não é preciso esperar que elas ocorram para realizar o tratamento de dessensibilização e exposição com o paciente. É importante a utilização de CDs com sons de chuva e trovões ou, ainda, fotos e filmes que mostrem, da forma mais fidedigna possível, as situações temidas. Um fator relevante no tratamento desses pacientes, após as primeiras sessões (seis a dez), é repetir todas as simulações, alternando luminosidade ampla e escuridão, por alguns segundos. Isso porque é preciso acostumar os pacientes a enfrentar as habituais faltas de energia elétrica que ocorrem durante as tempestades. A utilização de pequenas lanternas, no início do tratamento, também é fundamental para lhes dar segurança.

DENTISTA

Quem não se lembra da primeira vez que foi ao dentista e, na sala de espera, ouviu aquele sonzinho aterrorizador da aparelhagem que esses profissionais utilizam para remover as cáries? E lá dentro, então? A visão ameaçadora da anestesia vindo em nossa direção, boca adentro, para atingir, de forma implacável, nossa gengiva tão frágil? Não é uma situação de total impotência? Nós, ali deitados, luz na cara, barulhos diversos e irritantes, guardanapos no peito, um rosto irreconhecível logo acima do nosso, "mascarado" no nariz, na boca e com touca nos cabelos. Para completar, nossa boca escancarada em ângulos desagradáveis e, por vezes, dolorosos, sem poder falar absolutamente nada além do "hã, hã" ou do "hum, hum", quando tudo está bem ou nada bem.

Cá entre nós, ir ao dentista, seja pela primeira ou pela milionésima vez, não é nada divertido mesmo! No entanto, temos de admitir que é absolutamente necessário, pois cuidar dos dentes é cuidar de nossa saúde. Muitas doenças graves podem utilizar a cavidade bucal como porta de entrada, tal como a endocardite bacteriana (infecção das válvulas cardíacas, provocada por bactérias), que pode levar à insuficiência cardíaca e trazer problemas significativos.

As pessoas, em sua grande maioria, apresentam ao menos um leve receio de ir ao dentista. Porém, uma pequena percentagem da população tem verdadeiro pavor disso. Nesse pequeno contingente, muitas pessoas chegam a apresentar ataques de pânico ao se sentarem na cadeira de um dentista. Assim, elas acabam adiando os tratamentos dentários, o que resulta em dentes e gengivas deterioradas e, às vezes, com sérias complicações para a saúde de todo o organismo.

O grande foco do medo, nos pacientes que sofrem desse tipo de fobia, está relacionado à anestesia e à ação da broca ("motorzinho"). Além disso, a fobia de dentista, frequentemente, encontra-se associada à fobia de sangue. Nesses casos de associação, os pacientes, geralmente, chegam a desmaiar na cadeira do dentista.

É fundamental que os pacientes que sofrem desse tipo de fobia tenham uma boa comunicação e empatia com seu dentista. Além do mais, o profissional, ao ser consultado, deve ter em mente que lidar com o medo dos seus pacientes faz parte da sua profissão. Por isso, ele deve explicar, de forma clara e detalhada, todos os procedimentos que serão realizados, sem se esquecer de mencionar o grau de dor e desconforto que este poderá sentir.

Com relação à psicoterapia, um programa de dessensibilização deve ser feito, inclusive com a utilização de técnicas de relaxamento, até que o paciente esteja pronto para uma exposição real.

DIRIGIR

A fobia de dirigir pode se apresentar sozinha ou fazer parte de um quadro mais amplo de agorafobia (medo de estar distante de sua "área" de segurança). Muitos autores consideram essa fobia uma forma leve da agorafobia, com sintomas de pânico frequentes, o que faz com que a pessoa se esquive do ato de dirigir.

Por guardar semelhanças com as crises de pânico, o tratamento psicoterápico da fobia de dirigir deve seguir a mesma programação utilizada para os pacientes que apresentam o transtorno do pânico com agorafobia (abordada no capítulo 2).

ALIMENTOS

Existem dois tipos de fobia alimentar. No primeiro tipo, a pessoa apresenta seu foco de medo no ato de engasgar com a ingestão do alimento. Em função disso, ela se alimenta somente de líquidos ou "papas" batidas no liquidificador. Nesses casos, a perda de peso torna-se um sintoma importante do quadro clínico. O medo de engasgar é tão intenso que tais pessoas temem morrer asfixiadas pelo próprio alimento. Os pacientes com esse tipo de fobia alimentar também costumam relatar que sentem a boca e a garganta excessivamente ressecadas.

O segundo tipo de fobia alimentar é caracterizado pela aversão que os pacientes têm a determinado tipo de alimento. Essa aversão desencadeia náuseas e, não raro, vômitos. Um detalhe importante, que pode ser útil na diferenciação entre esse tipo de fobia alimentar e os quadros de bulimia nervosa,* é o fato de

---

* Transtorno alimentar que alterna compulsão por comida e expurgação. Descrito no livro *Mentes Insaciáveis: anorexia, bulimia e compulsão alimentar*.

que as náuseas e os vômitos são desencadeados por alimentos específicos. Já na bulimia nervosa, os vômitos são provocados após a ingestão de qualquer tipo de alimento, principalmente os carboidratos (açúcares).

AVIÃO

Existem pessoas que recusam grandes oportunidades de trabalho por não conseguirem viajar de avião. Há ainda aqueles que só conseguem fazê-lo se estiverem sob o efeito de álcool e/ou calmantes. Na fobia de avião, o foco do medo é a possibilidade de um acidente mecânico com a aeronave, como já foi dito no decorrer deste capítulo. Porém, essa fobia específica também pode estar associada à fobia de altura, à fobia de locais fechados ou mesmo à agorafobia.

O relato de Cláudia, 35 anos, retrata bem os prejuízos profissionais por não conseguir superar o medo de voar:

> *Aos 26 anos comecei a trabalhar numa empresa multinacional. Sempre fui esforçada, dedicada, e minha ascensão foi muito rápida. Em pouco tempo já era uma executiva com um ótimo salário. Mas o meu medo de voar acabou com todos os meus sonhos. O trabalho exigia que eu viajasse de um lado para o outro, tanto no Brasil quanto no exterior, e sempre fiz isso com muita dificuldade. Invariavelmente, a cada viagem eu usava calmantes ou bebia no avião para me sentir mais segura. Chegou um ponto em que a situação ficou insuportável e pedi para mudar de setor. Minhas chances de crescimento na empresa praticamente estagnaram, entrei em depressão e hoje preciso de mais ajuda do que antes.*

O tratamento psicoterápico de exposição gradual torna-se pouco prático e é bastante oneroso, uma vez que viajar várias vezes de avião, como forma de enfrentar o medo, pode levar o paciente a realizar, acompanhado de seu terapeuta, cerca de vinte viagens em um curto período de tempo.

Convenhamos que o custo de quarenta passagens aéreas, incluindo o paciente e o terapeuta, é muito alto, até mesmo para quem possui um ótimo padrão financeiro. Dessa forma, é mais interessante fazer a dessensibilização sistemática utilizando relaxamento e a construção imaginativa de várias cenas ligadas ao ato de realizar uma viagem aérea: chegada ao aeroporto, *check-in*, embarque, decolagem, possíveis turbulências, alimentação durante o voo e aterrissagem. Após bastante familiaridade com essa primeira etapa, deve-se tentar um voo de verdade.

A utilização de simuladores de voos virtuais também pode ser um recurso terapêutico importante para o tratamento da fobia de aviões. Já existem muitos programas de computador específicos, que reproduzem um ambiente bastante similar ao de um avião. Após algumas sessões em um avião virtual, alguns pacientes foram capazes de viajar de forma mais serena e confortável.

DOENÇAS

O foco do medo nas pessoas que apresentam fobia de doenças é sofrerem alguma enfermidade que as leve à morte prematura. As doenças mais temidas são câncer, Aids e doenças cardíacas. Tais pessoas evitam assistir a programas que tratem do assunto, bem como entrar em hospitais ou participar de conversas sobre doenças ou pessoas que estejam enfermas.

A fobia de doença pode também estar associada a outros transtornos, como a depressão e o transtorno obsessivo-compulsivo (TOC).* Para ser considerado um quadro único, o medo deve estar relacionado a um tipo específico de doença, diferentemente da hipocondria, na qual o medo envolve diversas doenças.

---

* Transtorno descrito no capítulo 7 e no livro *Mentes e Manias – TOC: transtorno obsessivo-compulsivo*.

O NOME DAS FOBIAS MAIS COMUNS

Cada tipo de fobia específica costuma ter um nome em particular, geralmente pomposo e de pronúncia complicada, que vai de *A* a *Z*, sem exceção. Abaixo estão os nomes das fobias mais comuns, classificadas por tipo:

FOBIA	*FOCO DO MEDO*
Tipo de animal	
Ailurofobia	Gatos
Aracnofobia	Aranhas
Cinofobia	Cães
Entomofobia	Insetos
Ofidiofobia	Cobras
Tipo de ambiente natural	
Acrofobia	Altura
Amatofobia	Poeira
Frigofobia	Clima frio
Ceraunifobia	Trovão
Nictofobia	Noite
Fonofobia	Ruídos altos
Fotofobia	Luz
Pirofobia	Fogo
Hidrofobia	Água
Sangue, injeção, tipo de ferimento	
Hemofobia	Sangue
Odinefobia	Dor
Poinefobia	Punição
Tipo de situação	
Apeirofobia	Infinidade
Claustrofobia	Lugares fechados
Topofobia	Medo do palco

FOBIA	*FOCO DO MEDO*
Outros	
Coulrofobia	Palhaços
Cacorrafiofobia	Fracasso
Logofobia	Palavras
Teofobia	Deus
Triscaidecafobia	Número 13

FOBIA: FOCO DO MEDO

É fundamental que os portadores de qualquer tipo de fobia entendam que se esquivar de situações que lhes causem ansiedade é um tremendo equívoco, talvez o maior de todos os enganos que os fóbicos possam cometer contra si mesmos: o famoso "tiro no pé".

Se você quer realmente superar sua fobia, reavalie suas crenças, ou seja, a maneira como você vê, pensa e experimenta o mundo. A única regra a ser seguida para a superação das fobias é o enfrentamento. Enfrentar o medo é ter a certeza de que ele jamais se tornará algo maior do que você. Medos patológicos são como lendas; quando não se acredita nelas, deixam de existir. Você lembra onde foi parar a bruxa malvada em que, na sua infância, você tanto acreditava? Pois é, um dia o mesmo poderá acontecer com seus medos!

FOBIA ESCOLAR: QUANDO A ESCOLA VIRA UM TORMENTO

Embora a fobia escolar não faça parte do grupo das fobias específicas, optei por descrevê-la neste capítulo, uma vez que se trata de um problema bastante comum e pouco conhecido do grande público.

Fobia escolar é um medo exacerbado que a criança sente em ir para a escola. Ela se revela primeiramente com a recusa em se deslocar para o ambiente escolar, inventando desculpas e culminando por evitá-la. Como a própria criança ainda não sabe que está com medo, geralmente o quadro se manifesta com mal-estar, podendo apresentar vômitos, dor de cabeça, dor de estômago, náuseas e tonturas na sala de aula. Muitas vezes, esses sintomas podem iniciar antes mesmo de a criança sair de casa ou na noite anterior. A criança foca o assunto da escola sempre com medo, negativismo e pode chorar para não ir. Na escola, é muito comum que ela se afaste dos coleguinhas, já que se sente muito desconfortável lá dentro.

É importante observar que, se estes sintomas se manifestarem apenas esporadicamente, pode ser um problema físico e não fobia escolar. Por isso, é sempre bom investigar, já que os sintomas são muito parecidos.

É essencial que a equipe da escola saiba o que está acontecendo, pois, muitas vezes, uma figura de confiança do aluno (pais, responsáveis, babás) deve acompanhá-lo e permanecer por um determinado período no ambiente escolar, até que ele desenvolva autoconfiança. Os próprios coordenadores podem, por vezes, desempenhar esse papel, ao ficarem mais próximos desse aluno, encorajando-o a ponto de se sentir bem na sala de aula.

A fobia escolar costuma estar associada a outro transtorno denominado *ansiedade de separação*. Este problema é muito comum em crianças, caracterizado pelo medo intenso de se separar dos pais ou de pessoas de importante vínculo, pela preocupação constante de que algo muito ruim possa lhes acontecer ou até mesmo de perdê-los para sempre.

Crianças que apresentam ansiedade de separação associada à fobia escolar, além do medo intenso de frequentar a escola, têm dificuldades de dormir sozinhas, medo de ir para casa de amigos e relutam em se distanciar das pessoas com as quais passa a maior parte do tempo. Assim, uma maneira de a criança ficar menos insegura em se separar dos pais é oferecer o máximo de sinceridade possível, demonstrando, verdadeiramente, que estão felizes ao seu lado, enquanto há tempo disponível para isso. Duplas mensagens por parte dos pais fazem com que a criança fique insegura, já que ela perde a referência com quem e com o que exatamente pode contar. É essa insegurança que a deixa mais "grudenta" e chorosa, já que passa a ter um sentimento de que pode ser abandonada a qualquer instante. No momento de ir para a escola os pais devem ser firmes, mas também precisam respeitar a limitação de seus filhos, uma vez que o sofrimento é intenso.

Crianças ou adolescentes com fracassos escolares, com déficit de atenção* ou com transtorno de aprendizagem, entre outros problemas, também podem desenvolver fobia escolar, pois não querem expor os seus insucessos. Nesses casos, vale a pena investigar a causa desses fracassos, por meio de profissionais especializados na área.

Os motivos que levam a criança a desenvolver fobia escolar podem ser vários ou um conjunto deles. Dentre eles estão a predisposição genética, o temperamento, a vulnerabilidade a ambientes domésticos e escolares estressantes, a preocupação excessiva dos próprios pais com a separação de seus filhos etc. É interessante salientar que nem todos os filhos, ainda que recebam a mesma educação escolar e familiar, irão desenvolver a fobia escolar, uma vez que depende de cada indivíduo.

A prática de bullying,** agressão sistemática que ocorre dentro das instituições de ensino, também é uma das grandes responsáveis pela fobia escolar, predispondo crianças de todas as faixas etárias, adolescentes e adultos a repetências por faltas, problemas de aprendizagem e até mesmo a evasão escolar. Nesse caso, especificamente, todos saem perdendo: o aluno, os pais, a escola e a sociedade como um todo. Quem desiste precocemente da escola perde a oportunidade de construir uma base sólida para a descoberta e o desenvolvimento de seus talentos essenciais, alterando a rota de seus propósitos existenciais e sociais.

---

* Descrito no livro *Mentes Inquietas – TDAH: desatenção, hiperatividade e impulsividade*.

** Descrito no livro *Bullying – mentes perigosas nas escolas*.

O relato de Patrícia, 16 anos, mostra com detalhes o quanto as humilhações e agressões sofridas na escola contribuíram para deflagrar um quadro típico de fobia escolar:

Sempre tirei boas notas e gostava de estudar, porém entre os 11 e 15 anos fui vítima de bullying escolar e isso me marcou profundamente. Sou filha única, e meus pais, à custa de muito trabalho, me matricularam no melhor colégio da cidade. Só que eu não era tão bonita, nem tão rica quanto os alunos de lá. As agressões começaram com alguns apelidos do tipo "pé de chinelo", "brega", "cafona", que me deixavam constrangida na frente de todo mundo. Com o passar do tempo, o bullying se tornou um inferno na minha vida. As humilhações ficaram mais frequentes e me isolaram totalmente. Quando eu tentava me aproximar, sempre ouvia risadinhas, cochichos e zombarias: "Volta pra cozinha, garota, pobreza pega!", "Ninguém te quer por aqui!".

Falei com os meus pais o que estava acontecendo, mas eles não entenderam direito, achavam que era coisa de adolescentes e que eu precisava enfrentar. Mas, juro, eu não aguentava mais, já eram anos de sofrimento. Tudo que acontecia ficava martelando na minha cabeça. Sentia vergonha de mim, das minhas roupas, da minha casa, até mesmo dos meus próprios pais. Eu passava mal quase todo dia, com enjoos, dor de cabeça, e não conseguia dormir direito.

Minhas notas estavam péssimas, inventava desculpas pra faltar às aulas, vivia ansiosa e tinha medo de me aproximar de qualquer pessoa. Até que um dia criei coragem, expliquei tudo pra minha mãe e disse que não queria mais estudar. Foi só aí que ela entendeu que a história era pior do que imaginava, e que eu precisava de ajuda. Meus pais até que tentaram me transferir de colégio, mas eu estava completamente apavorada; só de pensar nisso eu começava a suar, tremer, chorar. Hoje faço tratamento pra tirar esse trauma e medo absurdos. Sei que preciso voltar a estudar, mas ainda não consigo!

Uma das formas de tratamento para este transtorno é a terapia cognitivo-comportamental, cuja abordagem ajudará a criança e/ou o adolescente a pensar e agir de forma diferente, por meio de técnicas específicas às dificuldades de cada um. Caso a fobia seja muito grave, vale a pena consultar um psiquiatra, que poderá fazer uma avaliação do quadro clínico e, se for necessário, prescrever medicações adequadas. Esse profissional também poderá descartar todas as possibilidades de outras doenças estarem causando tanta ansiedade.

É fundamental que os pais fiquem atentos quanto à procura de profissionais especializados, já que a demora no tratamento pode ocasionar afastamento da escola, fracasso e repetência escolar, vergonha de enfrentar novamente os coleguinhas, entre outros fatores. Todos eles são indutores da baixa autoestima dos filhos e responsáveis por graves prejuízos que se refletem na vida adulta. Além disso, é muito comum que a fobia escolar se associe a outros medos como, por exemplo, de elevador, animais, do escuro etc. Enfim, os danos são grandes quando se adia o tratamento.

Os pais, muitas vezes, se sentem culpados quando seus filhos apresentam fobia escolar, mas isso efetivamente não contribui em nada para melhorar o quadro. Existem responsabilidades que são sempre de quem cuida, e isso implica identificar o problema, buscar tratamento e seguir as orientações a fim de trazer alívio aos filhos que sofrem e contam com o apoio dos pais.

Na parede da memória
essa lembrança é o quadro
que dói mais

BELCHIOR — Como nossos pais

CAPÍTULO 5

TRANSTORNO DE ESTRESSE PÓS-TRAUMÁTICO (TEPT): UM "CALO" EM NOSSA MEMÓRIA

No trajeto de nossa jornada, todos nós vivenciamos, de uma forma ou de outra, experiências difíceis ou traumáticas. No entanto, por mais doloroso que tenha sido o momento vivenciado, nem sempre esse trauma é capaz de desencadear uma doença, mesmo que a sua recordação seja inevitável. De forma diversa, os pacientes que sofrem de transtorno de estresse pós-traumático (TEPT) são capazes não somente de recordar as imagens do ocorrido, como também reviver e remoer, de forma intensa, persistente e sofrível, toda a dor que os abateu. É o flashback do tormento!

Os portadores do TEPT são pessoas que passaram por eventos de natureza excepcionalmente ameaçadora ou catastrófica; testemunharam a morte de perto; correram risco de vida; vivenciaram momentos de violência ou fatos violentos como assaltos, sequestros, acidentes de carro, desastres naturais, guerras, torturas psicológicas e/ou físicas, abusos sexuais etc., corroborados por sentimentos de impotência, medo e horror. São fatos que os marcaram profundamente e que desencadearam uma série de sintomas físicos e psíquicos, sinalizando que o trauma não foi superado. A ferida ainda está aberta e sangrando!

Para melhor entender como isso ocorre, imagine a nossa memória como se fosse uma estrutura lisa e plana. Em suas camadas mais profundas estão armazenados todos os fatos que aprendemos, vivenciamos, vimos, ouvimos e sentimos. Enfim, sensações e acontecimentos que estão ali registrados e que podemos "buscar", quando necessitamos ou somos induzidos a encontrá-los. Já na superfície dessa estrutura lisa e plana, encontra-se tudo aquilo que usamos no dia a dia e que se processa de maneira automática e espontânea.

Quando dirigimos um carro, por exemplo, não precisamos nos lembrar de como se passa a marcha, como se pisa no freio ou no acelerador. Quem já está acostumado com o ato de dirigir sabe que tudo se processa automaticamente. Andamos, comemos, bebemos, lidamos com os utensílios domésticos e tantas outras coisas cotidianas através do mesmo processo: de forma automática.

Com esse mesmo mecanismo, associamos nossos sentidos (paladar, olfato, tato, audição e visão) às diversas possibilidades de reação que podemos ter em nossas vidas, de acordo com a ocasião. Ninguém precisa sair "catando" lembranças na memória feito um louco e desvairado para entender que o jantar está pronto quando sente o cheiro gostoso da comidinha no fogão. Tampouco é necessário algum tipo de raciocínio consciente para retirarmos rapidamente a mão quando a encostamos em uma panela quente.

Contudo, quando somos vítimas de um trauma severo, forma-se uma espécie de "calo" naquela superfície lisa, que incomoda e nos faz lembrar o tempo todo que ele existe. Quem consegue se esquecer de um calo no dedão do pé, que dói a todo instante, ainda com sapato apertado? É praticamente impossível não se lembrar do calo, como também do próprio pé.

Essa analogia serve para compreendermos o que acontece no transtorno de estresse pós-traumático. É natural que as pessoas que vivenciaram situações traumáticas necessitem de um tempo de adaptação para que as experiências "paralisantes" e dolorosas possam ser processadas, diluídas e cicatrizadas, o que, em média, dura menos de um mês. Mas, para quem sofre do transtorno em si, aquela saliência na superfície da memória plana (que usamos de forma automática) frequentemente traz à tona todas as lembranças do ocorrido. O agente estressor (evento traumático) perpetua-se de forma intensa, provocando sequelas psíquicas em suas vítimas e mostrando sinais evidentes de que ele continua vivo na memória e com o dedo no gatilho.

Estar cara a cara com o perigo e sob o risco de exposição a eventos traumáticos faz parte da nossa condição humana desde o início da evolução da nossa espécie. Quem poderá afirmar que os nossos parentes mais longínquos (homens pré-históricos) também não foram vítimas do TEPT? Afinal, eles necessitavam da caça para a sobrevivência e se deparavam com os mais terríveis predadores e seus inesperados ataques. Porém, não é preciso ir muito longe para entender o que o trauma pode representar na vida de alguém, uma vez que nas últimas décadas tivemos um aumento considerável na prevalência do transtorno de estresse pós-traumático na população como um todo.

A mídia está aí o tempo todo anunciando as guerras, os conflitos, os massacres, os sequestros, os franco-atiradores – quase de forma trivial e corriqueira. No entanto, a banalização da violência não impede que muitos de nós reflitamos sobre o real sofrimento de cada sobrevivente ou parente e sobre os prejuízos morais que dizem respeito à existência humana. Como será que esses trágicos destinos marcarão e conduzirão a vida de cada um deles dali para frente? Sonhos que escorrem pelas mãos, adaptação às novas mudanças. São os perversos reflexos da "força bruta" dos tempos modernos, que não distinguem credo, raça, sexo e idade, mas que infelizmente estão cada vez mais em alta. Como nos disse muito bem Vinicius de Moraes, ao se referir às consequências da bomba atômica sobre o Japão: "Pensem nas crianças, mudas telepáticas. Pensem nas meninas, cegas inexatas. Pensem nas mulheres, rotas alteradas."

É de se esperar que, quanto maior a gravidade do evento, maior a chance de a vítima desenvolver o TEPT. Felizmente, a maior parte das vítimas de uma experiência traumática não desenvolve o transtorno. A predisposição para que o transtorno se instale varia de indivíduo para indivíduo e está muito relacionada à sensibilidade emocional de cada um, bem como ao tipo de atividade que exerce ou aos grupos de risco em que esteja inserido (determinadas profissões, militares, policiais etc.).

Uma pessoa emocionalmente mais sensível, depressiva ou com problemas de ansiedade prévios, por exemplo, pode desenvolver o TEPT mesmo que o estímulo traumático tenha sido pouco severo. Em contrapartida, determinadas pessoas que vivenciam experiências traumáticas de grande monta superam-nas de forma relativamente rápida e seguem o curso normal de suas vidas, sem prejuízos significativos. São as predisposições pessoais e a capacidade individual de lidar com situações adversas que determinam quem cairá ou não nas "redes" implacáveis do transtorno.

Embora o TEPT só tenha sido reconhecido oficialmente como doença pela Associação de Psiquiatria Americana em 1980, diversos cientistas já percebiam seus sintomas ainda no século XIX, tanto que, desde então, recebeu diversas denominações. Os sintomas característicos do TEPT foram exaustivamente estudados em ex-combatentes das grandes guerras, sobreviventes dos campos de concentração nazistas, Guerra do Vietnã, entre tantos outros conflitos. Em função disso, por muito tempo foi batizado de "neurose traumática ou de guerra".

O reconhecimento como enfermidade distinta pelas entidades internacionais foi determinante para compreendermos que a perturbação psíquica decorrente de uma experiência difícil não é, em absoluto, uma simples fraqueza do indivíduo. Existe, de fato, um agente externo, que é deflagrador do TEPT e, portanto, a ajuda especializada, envolvendo medicações, psicoterapia e intervenções sociais, é fundamental.

O depoimento de Cristina, 35 anos, executiva, vítima de um sequestro-relâmpago há alguns anos, retrata bem as consequências de um trauma na vida de uma pessoa:

O que deveria levar somente alguns minutos demorou aproximadamente 16 horas de extremo sofrimento. Voltando de uma reunião de negócios, por volta das 19 horas, fui abordada em uma autoestrada por um carro com três homens armados até os dentes, obrigando-me a parar no acostamento. Quanta ousadia! No meio de uma estrada movimentada, é simplesmente inacreditável! É pura ficção de cinema!

Rapidamente dois deles invadiram meu carro e eu já estava no banco de trás, abaixada e com uma arma na cabeça. Saíram em alta velocidade e senti que estávamos fora da estrada. Era o mato, o breu, e meu carro era o próprio cativeiro. Levaram minha bolsa, todos os meus pertences, e limparam minha conta bancária. Foi a noite mais longa da minha vida. Falavam alto, ameaçavam me matar, discutiam sobre o que fazer com o dinheiro, esperavam os "chefões" chegarem, ouviam músicas alto e repetidas, incendiaram meu carro. Por volta das 11 horas fui libertada e não sei como tive essa sorte. Corri o mais que pude e, sem nada no bolso ou nas mãos, estava indo sem destino. Recebi, no caminho, ajuda de um senhor que percebeu meu sofrimento.

No dia seguinte, estava estampado nos jornais o ocorrido. Enquanto eu era refém, minha família, amigos e colegas de trabalho se movimentaram o tempo todo. Sabiam que algo estranho havia acontecido.

Minha vida de lá pra cá virou um inferno! Felizmente meu desempenho profissional não caiu. Mas as cenas não me saem da cabeça, tenho pesadelos constantes, vivo sobressaltada, parei de dirigir, não consigo mais ouvir música e nunca mais voltei àquela estrada. Meus prazeres sumiram e não me divirto mais, não sorrio mais. Tudo perdeu a graça e afastei-me dos meus amigos. Só procurei ajuda depois de muita insistência do meu marido. Meu casamento está desmoronando.

Histórias parecidas com o relato acima, em maior ou menor grau, infelizmente, são cada vez mais comuns. Podemos dizer que atualmente o TEPT é diagnosticado com relativa frequência nos consultórios de psiquiatria do mundo todo e está tomando força expressiva, a exemplo do que ocorreu com a depressão e o pânico.

O RECONHECIMENTO DO PROBLEMA

De acordo com o DSM-IV-TR, o primeiro aspecto a ser definido é se de fato existe um agente causal de natureza traumatizante. Como visto anteriormente, esse agente estressor deve ser suficientemente forte na vida da pessoa, assim como ameaçador à sua vida e à sua integridade ou à vida de outras pessoas. Enfim, para se diagnosticar o TEPT, primeiramente, deve-se ter a certeza de que algum fato ou evento expressivo tenha ocorrido e que esteja fora dos padrões rotineiros da vida desses indivíduos. A resposta ao evento traumático deve envolver medo intenso, impotência ou horror, e a perturbação deve causar sofrimento clinicamente significativo, afetando o funcionamento social, ocupacional, acadêmico ou de outras áreas significativas da vida do indivíduo.

É importante esclarecer que nem sempre os sintomas aparecem imediatamente após o evento traumático, podendo levar meses até o seu surgimento. Também é sempre bom se ter em mente que ocasiões de extrema relevância para alguns podem não afetar os outros da mesma maneira e intensidade. Portanto, um dos fatores que caracterizam o TEPT é o fato de os indivíduos permanecerem com o trauma após o "tempo normal" que a maioria de nós necessita para retornar ao curso natural da vida. Por isso, é fundamental ressaltar que os sintomas característicos do TEPT devem permanecer por um período superior a um mês. Um período inferior a esse é denominado *transtorno de estresse agudo*.

Outro fator importante para se fechar o diagnóstico de TEPT é o fato de a pessoa apresentar recordações vivas, intrusivas (involuntárias e abruptas), do acontecimento traumático. O indivíduo revive persistentemente a situação, na forma de recordações aflitivas e repetitivas. Nesses casos, incluem-se imagens, pensamentos, percepções, pesadelos ou flashbacks (como cenas de um filme) inerentes ao evento.

A pessoa também pode sentir um sofrimento psicológico intenso quando exposta a fatos que lembram o trauma original, com fortes respostas fisiológicas que se assemelham ao ataque de pânico: taquicardia, sudorese intensa, ondas de frio ou de calor, sensação de desmaio, falta de ar etc.

A revivescência das suas dolorosas recordações, com extrema realidade, pode estar "à espreita" nos pequenos detalhes. Certa vez ouvi de um paciente, vítima de um assalto, que todas as vezes que passava perto de uma oficina mecânica ou sentia o cheiro de graxa retomava todas as lembranças do assalto, revivendo com riqueza tudo o que lhe acontecera naquele dia. Durante a investigação encontramos uma explicação, uma vez que um dos assaltantes usava um macacão sujo de graxa. A partir desse estímulo inicial, todas as lembranças vinham à tona, atormentando sua vida: o cano frio da arma, encostado em seu rosto, e o renascimento de sua triste experiência.

Dessa forma, muitos evitam repetidamente tudo o que lhes lembra ou está relacionado ao evento traumático (pessoas, assuntos, lugares e atividades), pois pensar sobre o evento pode ser uma verdadeira tortura ou algo intolerável. Essa esquiva em não se lembrar dos acontecimentos pode deixar alguns portadores de TEPT incapacitados de recordar determinados aspectos importantes do evento traumático, como se tivessem simplesmente apagado de suas memórias (amnésia).

Em muitos pacientes, também pode ocorrer sentimentos de "anestesia" em relação às emoções (afetos), como se fosse um embotamento emocional, que não apresentavam antes do ocorrido. São os sentimentos de "anulação" de seus prazeres, que se encontram sufocados pelas lembranças mais fortes e mais marcantes. Esses sintomas são conhecidos como "anestesia emocional" ou "torpor psíquico" e, frequentemente, determinam o afastamento de pessoas importantes de seu convívio. Alguns pacientes apresentam sensações de futuro abreviado, como se fossem morrer dentro de pouco tempo, no qual as perspectivas de tempos melhores e de planos prazerosos se encontram extremamente comprometidas e deturpadas pelo trauma.

Outros sintomas muito frequentes estão relacionados a irritabilidade, explosão de raiva, insônia, dificuldade de concentração, hipervigilância (estado de alerta permanente) e/ou respostas exageradas a estímulos normais e corriqueiros (sobressaltos, sustos).

Muitos podem, até mesmo, desenvolver fortes sentimentos de culpa por terem sobrevivido ao evento traumático, autodepreciação e depressão, fato que não deixa de ser complicador do problema. Em casos raros, a pessoa experimenta quadros dissociativos (perda da realidade), de tempo variável, que podem ser confundidos com alucinações, frequentemente encontradas em esquizofrenias e psicoses.

Além da depressão, outros transtornos psiquiátricos podem se associar ao TEPT, dentre os quais destaco: transtorno de pânico, agorafobia, transtorno obsessivo-compulsivo (TOC), fobia social, fobia específica, abuso de substância (dependência química), entre outros.

Outro exemplo de sequelas psicológicas, envolvendo uma situação traumática, é possível ser verificado no relato de Marina, 21 anos, universitária, que nos foi encaminhada por seus pais, por não entenderem o comportamento da filha:

No final do ano passado, fui estuprada à noite, numa rua quase deserta. De lá para cá as coisas nunca mais foram as mesmas. Ando triste, choro à toa, irrito-me com facilidade e não tenho a menor paciência com os homens. Tenho a impressão de que vão me atacar a qualquer momento. Nunca contei nada pra ninguém, pois morro de vergonha de tudo e não quero magoar meus pais. Lembro-me perfeitamente bem da cor do carro, do cheiro e de seu estofamento estampado. As cenas não saem da minha ca-

beça, não consigo entrar mais num carro parecido com aquele, nem passar perto daquela rua. Tenho pesadelos com cenas de violência e estupro, às vezes envolvendo muitas pessoas ao mesmo tempo. Acordo quase todas as noites e por isso tenho faltado às aulas. Passei a beber, coisa que achei que nunca iria fazer, pois me alivia um pouco a dor das cenas de horror que passei. Preciso esquecer, mas não consigo!

Depois do primeiro mês, o transtorno de estresse pós-traumático é considerado *agudo* se a duração dos sintomas for inferior a três meses, e *crônico*, se for superior a esse período. Quanto às manifestações dos sintomas, o DSM-IV-TR especifica *com início tardio* se pelo menos seis meses decorreram entre o evento traumático e o início dos sintomas.

Quanto às crianças, deve-se ter uma atenção especial. Devemos estar de olhos bem abertos quanto a seu comportamento diante das situações traumáticas e suas reações subsequentes, pois, muitas vezes, são demonstradas de maneira diferente dos adultos. Além do mais, nem sempre os pais e/ou os cuidadores têm consciência de que elas foram vítimas de situações dolorosas ou que conseguiram superar o momento difícil. As respostas poderão vir "camufladas" nas mais diversas formas possíveis, sinalizando que estão sofrendo e necessitam de ajuda especializada.

Dentre elas, estão:

- comportamento agitado ou desorganizado;
- jogos repetitivos, com expressão de temas ou aspectos do trauma: brincar de carrinho com colisões frequentes, caso tenham sofrido ou testemunhado acidentes de carro, por exemplo;
- ocorrência de sonhos amedrontadores sem um conteúdo identificável;

- reencenação específica do trauma, que pode ser demonstrada também por desenhos;
- comportamento inibido.

VIOLÊNCIA E MEDO

Não há dúvida de que a violência e as ondas de crimes instalados, cruelmente, nos centros urbanos têm afetado de forma drástica a rotina de todos nós. Muitos mudam de cidade, bairro, residência, contratam seguranças ou transformam suas casas em verdadeiras fortalezas. As pessoas estão mais assustadas, sim, e monitoram-se pelos celulares o tempo todo.

O medo da violência, hoje, é um problema tão grave quanto a violência em si. A questão ganhou tamanha dimensão a ponto de se tornar uma área autônoma de pesquisas, originando centenas de estudos.

O clima de insegurança gera uma situação de estresse prolongado e ansiedade nas pessoas mais suscetíveis, que acabam adoecendo não somente de transtornos ansiosos, como também de depressão. A procura por consultórios psiquiátricos e psicológicos tem aumentado nos últimos anos, e, neste contexto, estão pessoas de todas as idades, inclusive crianças bem jovens.

Cabe ressaltar que muitas pessoas podem sofrer as consequências da violência ou de um evento traumático mesmo que não tenham sido vítimas diretas. Quem é espectador também passa por momentos de estresse agudo, que faz uma descarga violenta de adrenalina no organismo num curto espaço de tempo. Isso porque o cérebro não distingue os fatos reais dos virtuais (imaginários). Só a expectativa de vivenciar algo trágico já é capaz de liberar substâncias que deixam o corpo em alerta. O estresse agudo, com o passar do tempo, pode se cronificar em pessoas predispostas a transtornos ansiosos. Mesmo as pessoas que assistem a cenas trágicas pela TV também podem padecer do mesmo mal. Elas sofrem só de imaginar: "E se fosse comigo?"

Como exemplo, cito o atentado às Torres Gêmeas nos Estados Unidos, em 11 de setembro de 2001. Quantas vezes aquelas imagens se repetiram nos noticiários? E quantas pessoas não se imaginaram na mesma situação e, a partir disso, passaram a ter medo intenso de serem vítimas do terrorismo, de altura, de avião ou até mesmo de sair de casa?

Aqui no Brasil, os incêndios a ônibus nas cidades de São Paulo e do Rio de Janeiro, em maio e dezembro de 2006, bem como o massacre na escola de Realengo (Rio de Janeiro) em 2011, culminaram em mortes e tiveram consequências imediatas na população em geral. Aumentou o adoecimento e agravou os quadros de quem já apresentava algum problema.

Mas o que isso tem a ver com TEPT? Tudo! Violência e atentados deixam marcas profundas e de difícil cicatrização. Levam a sobressaltos, tensão, isolamento, irritabilidade, insônia, pesadelos, anestesiamento emocional, revivescência constante do evento traumático.

QUEM SOFRE MAIS... E A BUSCA DO CONFORTO

Os estudos sobre o TEPT ainda estão em fase embrionária, pouco se sabe sobre o transtorno e a predisposição de cada indivíduo. No entanto, algumas pesquisas já apontam que, dentre as pessoas que sofreram um trauma severo, 10% a 50% podem desenvolver o TEPT, sendo as mulheres mais vulneráveis que os homens, bem como as crianças e os idosos. Nos Estados Unidos, as pesquisas apontam que de 8% a 12% da população já desenvolveu ou vai desenvolver os sintomas, configurando-se uma patologia. No Brasil ainda não há dados específicos sobre o transtorno.

É essencial que o indivíduo procure ajuda logo após o trauma, ainda na fase aguda, pois as chances de melhora e superação das recordações aflitivas são maiores. O tratamento precoce também diminui as chances de o indivíduo desenvolver transtornos secundários ao TEPT (depressão, pânico, abuso de drogas etc.), que podem trazer sequelas para o resto de suas vidas, com prejuízos evidentes nos setores sociais, profissionais e/ou acadêmicos.

O tratamento medicamentoso é feito com o uso de substâncias que ajudam a regularizar os níveis de serotonina (ISRS) ou antidepressivos tricíclicos e alguns ansiolíticos, na melhora do quadro ansioso e/ou depressivo.

Com relação à psicoterapia, algumas teorias e estudos sobre o TEPT demonstram resultados satisfatórios, especialmente a terapia cognitivo-comportamental (TCC). Técnicas de exposição prolongada à situação traumática ou imaginação – relembrar com detalhes a situação – vêm sendo utilizadas com eficácia. Também é necessário "treinar" o paciente para que se habitue às situações de estresse, incluindo técnicas de relaxamento e de reestruturação de padrões cognitivos (maneiras de pensar e interpretar os fatos). Pela TCC, é possível diminuir o quadro ansioso, trabalhar os sentimentos de culpa e de raiva que se associam ao transtorno, entre outros desconfortos, para "abrirmos acesso" às lembranças positivas que ocuparão o lugar daquelas situações desagradáveis.

Em relação às crianças e aos adolescentes, é fundamental que o terapeuta fale sobre o evento traumático e oriente o paciente a não se esquivar do tema ou dos pensamentos inerentes à situação vivenciada. Recursos como brinquedos ou desenhos podem facilitar a comunicação, além de serem importantes para a identificação dos fatos mais marcantes.

O apoio familiar e de amigos também é fundamental para que o paciente não se sinta desamparado e à mercê de seus transtornos e angústias.

É importante que o médico e o terapeuta nunca percam de vista que o indivíduo adoecido não é simplesmente uma máquina a ser consertada, e que não existe um modelo fixo do que significa uma vida saudável. Cada um de nós é um somatório de corpo físico, mente, emoções, essência original e experiências singulares. A exposição às situações estressantes e severas pode vir da imposição da própria vida e da história de cada um. Dessa forma, na avaliação do paciente, não se podem ignorar tais fatores, mas, sim, tratá-los como um todo e com o acolhimento que este ser único merece.

Assim, como diz o ditado que "gato escaldado tem medo de água fria", as pessoas que foram vítimas de traumas podem passar toda uma existência em sofrimento e desorientação. É necessário nutri-las com instrumentos suficientes para que entendam o processo que vivenciaram. Palavras de encorajamento e a orientação de que a saúde verdadeira está na aceitação da vida como ela realmente se apresenta (com todas as imperfeições e contradições) são fundamentais para o despertar de um potencial maior.

Os desafios, com os quais nos deparamos pela estrada afora, estimulam virtudes interiores a fazer mudanças para um novo recomeço. É fundamental perceber que nossas vivências anteriores foram necessárias para chegarmos até aqui, no momento presente, mas "o passado é uma roupa que não nos serve mais".

Devia ter complicado menos
Trabalhado menos
Ter visto o sol se pôr
Devia ter me importado menos
Com problemas pequenos

SÉRGIO BRITTO — Epitáfio

CAPÍTULO 6

TRANSTORNO DE ANSIEDADE GENERALIZADA (TAG): PREOCUPAÇÃO EXCESSIVA QUE NÃO LARGA DO PÉ

Por que você sempre olha para os dois lados antes de atravessar a rua, por mais apressado que esteja? Por que, ao provar a sopa, você sempre assopra a colher antes de levá-la à boca? Por que, quando você está em um elevador e de repente ele para por falta de energia, você fica ansioso, tenso e com falta de ar?

Embora essas perguntas, e suas respectivas respostas, pareçam óbvias ao leitor mais atento, é com base nelas que faço algumas considerações. Como visto anteriormente, todos nós, desde o nascimento, temos uma dose "terapêutica" de ansiedade e medo, necessária à nossa sobrevivência e à perpetuação da espécie. É o medo de ser atropelado que nos faz olhar para os lados antes de atravessarmos a rua. A reação do medo também evita que queimemos a boca ao sorver uma sopa quente, bem como leva à inevitável inquietude de sair correndo do elevador que está em pane. Estas são atitudes, no mínimo, prudentes.

O medo e a ansiedade são fenômenos universais e estão presentes em todos nós, em doses variadas, como resposta à adaptação aos estímulos de ameaça com que nos deparamos em nosso dia a dia.

Diferentemente dos outros quadros clínicos vistos ao longo do livro, o transtorno de ansiedade generalizada (TAG) se caracteriza por um estado permanente de ansiedade, sem nenhuma associação com situações ou objetos. A pessoa com TAG sofre diversos incômodos subjetivos e/ou físicos a cada instante de sua existência, por motivos injustificáveis ou desproporcionais. Trata-se de uma percepção errônea ou exagerada de perigo que, de forma imaginária, está sempre ali, perseguindo, rodeando, invadindo.

Além disso, o paciente que sofre de TAG leva um tempo maior do que a população em geral para se "desligar" do agente causador de ansiedade ou do agente estressor. Mesmo depois de afastada qualquer possibilidade de sofrer algum risco, o pensamento ainda fica conectado, "plugado", remoendo aquela situação estressante. É o estado de vigília permanente; a luz acesa que nunca se apaga!

A ansiedade patológica surge em nossa vida como um sentimento de apreensão, uma sensação constante e incômoda de que alguma coisa vai acontecer, sem mais nem menos. Quem sofre de TAG vive em contínuo estado de alerta e inquietude. Deixa de viver o presente e desfrutá-lo em forma plena, pois as preocupações subjetivas tomam o espaço destinado ao "aqui e agora". É uma ansiedade crônica, que leva a pessoa a começar o dia em busca de algum motivo de preocupação, desnecessário, não importando se o problema é trivial ou doloroso. É a aflição constante de que deixou de fazer alguma coisa; de que algo pode estar errado; de que esqueceu algum detalhe importante; de que não vai dar conta de tudo o que tem para fazer. É o desassossego permanente; o soldado raso de prontidão diante do inimigo imaginário; é o Dom Quixote lutando contra seus moinhos de vento.

Segundo o DSM-IV-TR, a característica essencial do transtorno de ansiedade generalizada é uma ansiedade ou preocupação excessiva (expectativa apreensiva), que ocorre na maioria dos dias por um período de pelo menos seis meses, acerca de diversos eventos ou atividades. Nesses casos, controlar a preocupação é uma tarefa quase impossível, uma vez que seu senso de avaliação de perigo está comprometido.

Muitos portadores de TAG fazem uma verdadeira peregrinação a vários especialistas como clínicos gerais, cardiologistas, neurologistas, até alcançarem o diagnóstico definitivo. Isso se deve ao fato de que o TAG é permeado de sintomas somáticos (físicos), além dos psíquicos.

Os sintomas somáticos mais comuns são:

- taquicardia;
- sudorese;
- cólicas abdominais;
- náuseas;
- arrepios;
- dores musculares;
- tremores;
- ondas de calor ou calafrios;
- adormecimentos;
- sensação de asfixia, "nó na garganta" ou dificuldade para engolir;
- perturbações do sono: insônia, dificuldade para adormecer, acordar no meio da noite etc.;
- fatigabilidade ou esgotamento.

Dentre os sintomas psíquicos de maior relevância encontram-se a tensão, a apreensão, a insegurança, a dificuldade de concentração, a sensação de estranheza, o nervosismo e outros sintomas afins.

O relato de Márcia, 24 anos, comerciária, descreve bem o desconforto gerado pelo TAG:

A sensação de insegurança e medo me persegue desde criança. Passei a vida toda buscando justificativas para essa coisa estranha. Tudo era motivo de aflição: quando havia uma prova na escola, a preocupação era em função disso; depois da prova, meu medo era o de não ter ido muito bem, da nota vermelha no boletim e de meus pais brigarem comigo. Muitas vezes, já na adolescência, não conseguia dormir direito devido ao excesso de pensamentos misturados na cabeça: o que eu fiz ou deixei de fazer, a hora de acordar, o trabalho para entregar... uma ansiedade sem fim. Hoje a insônia está tomando conta de mim. Meus pés e minhas mãos sempre foram assim, úmidos e frios, pingando suor. Se preciso me encontrar com alguém ou fazer uma entrevista, é um verdadeiro suplício! Dá dor no estômago, falta de ar, um nó na garganta. Troco de roupa um montão de vezes, chego sempre antes da hora marcada e, se a pessoa demora um pouquinho, já me sinto a pior das piores. Tudo tem uma proporção gigantesca, uma apreensão que não sei de onde vem e vai aumentando cada vez mais. Minha vida está virando um caos! Estou trabalhando, mas sempre preocupada com os horários, com as tarefas, com o que o chefe vai me pedir, penso que não vou dar conta, que vou ser demitida... Cansei de ouvir que sou muito agitada. Vivo sempre com pressa, quero fazer tudo correndo, com os nervos à flor da pele. Já acordo "pilhada"; estou aqui, mas já quero estar lá. Dá pra entender uma coisa dessas? Estou no limite e exausta!

Justamente pela riqueza de sintomas, é extremamente importante que o médico não faça o diagnóstico de TAG precipitadamente, mas, sim, que este seja um diagnóstico de exclusão. Explico melhor: para se estabelecer um diagnóstico de TAG, primeiro, é preciso ser investigado cuidadosamente se o quadro ansioso não é fruto de outras doenças que desencadeiam as mesmas sensações físicas e psíquicas do transtorno acima. Dentre elas dou destaque às seguintes:

- *Transtorno do pânico*: caracterizado por sucessivos ataques de pânico (ocorrências definidas e inesperadas de medo extremo), acompanhados de falta de ar, sudorese, tremores, taquicardia etc.
- *Fobia social ou transtorno de ansiedade social (TAS)*: o foco do medo se relaciona a situações sociais ou de desempenho, com forte receio de ser constrangido publicamente.

- *Transtorno obsessivo-compulsivo (TOC)*: caracterizado por pensamentos obsessivos e intrusivos, tal qual o medo de ser contaminado, por exemplo.
- *Transtorno de ansiedade de separação*: caracterizado pelo medo exacerbado de ficar afastado de casa ou de parentes próximos.
- *Anorexia nervosa*: preocupação excessiva quanto à possibilidade de engordar ou ganhar peso.
- *Fobias específicas*: caracterizadas pelo medo de um objeto ou situação definida.
- *Transtorno de somatização*: leva o paciente a ter múltiplas queixas físicas.
- *Depressão com ansiedade associada*.
- *Hipocondria* ou medo intenso de contrair uma doença grave.
- *Transtorno de estresse pós-traumático (TEPT)*: se desencadeia após a exposição ou vivência de um evento traumático significativo.
- *Doenças orgânicas*: hipertireoidismo, abuso de substâncias, doenças cardiovasculares, entre outras, que têm como resposta sintomas de ansiedade.

É importante ressaltar que, embora o diagnóstico de exclusão seja necessário, é muito comum que o TAG se associe ou esteja coexistindo com outros transtornos mentais. Dentre eles estão as fobias específicas e o transtorno do pânico. Frequentemente me deparo com pacientes que se queixam de vários medos excessivos ao mesmo tempo e, numa avaliação mais criteriosa, observo que o TAG é o transtorno de origem.

Os prejuízos no funcionamento social e ocupacional para os pacientes portadores de ansiedade generalizada são grandes, e as ruminações constantes de preocupação são difíceis de serem controladas.

Evandro, 42 anos, corretor de imóveis, descreve com precisão os problemas que o TAG tem lhe causado:

Sou casado, pai de três filhos e não sei bem ao certo quando essa minha ansiedade começou. Lembro-me de que, ainda na adolescência, era extremamente ansioso em tudo o que fazia. Muitas preocupações rondavam meus pensamentos. Será que vou conseguir ter uma namorada? Será que vou conseguir um bom emprego? Será que estou agradando nesta roda de amigos? Nunca tive dificuldade em arrumar namoradas, mas, invariavelmente, ficava muito tenso e nervoso quando saía com uma garota. À medida que se aproximava a hora do encontro, começava a sentir calafrios e náuseas. Por diversas vezes, antes de sair de casa, cheguei a vomitar de tanta ansiedade.

Hoje minha preocupação já é outra. Tenho um bom emprego, mas não possuo uma renda mensal fixa, dependo de comissões e de um bom desempenho profissional para garantir uma vida estável para a minha família. É o suficiente para me deixar o tempo todo preocupado com os meus compromissos financeiros, mesmo que tudo esteja correndo bem. Algumas vezes, acho que minha preocupação é exagerada, outras vezes, não.

Às vésperas de fechar um bom negócio, minha ansiedade chega a níveis incontroláveis, mesmo com anos de experiência. A saúde de minha mulher e filhos é um constante motivo de preocupação e apreensão. Quando tenho uma discussão com minha esposa, simplesmente saio dos trilhos e depois percebo que não precisava me exaltar daquela forma. Levo muito tempo para esquecer aquela situação. Fico "ruminando" tudo o que falamos, e isso atrapalha o meu trabalho, como se desse um "branco" na mente, e perco bons negócios. Vivo sempre na pressa, quero tudo pra ontem e levo meus problemas de um lado para o outro. Além da minha família e do meu trabalho, várias coisas também me preocupam: a política financeira, as contas para pagar, as relações dos Estados Unidos com outros países, o barulhinho no painel do carro... Tenho uma tensão muscular crônica e acordo mais cansado do que quando fui dormir. Já não sinto mais prazer em sair e estou me distanciando dos poucos amigos que tenho... Vivo sempre cansado.

O transtorno de ansiedade generalizada acomete mais mulheres do que homens, e a idade de início, muitas vezes, é difícil de calcular, já que a maioria dos pacientes relata uma história típica de preocupação excessiva e nervosismo desde a infância ou adolescência. Porém, é comum que o TAG se manifeste em idades mais avançadas ou no início da fase adulta. Os pacientes costumam se queixar de múltiplos problemas físicos, tais como tensão motora (tremor, inquietude e dor de cabeça), assim como desconfortos gastrintestinais, pulmonares ou cardiovasculares. A hipervigilância (estado de alerta) e a perturbação no sono acarretam irritabilidade constante e deixam o indivíduo esgotado, indisposto, um caco.

Para os adultos, o TAG está frequentemente relacionado à preocupação claramente desproporcional com as situações corriqueiras e cotidianas, tais como responsabilidades no emprego, tarefas domésticas mais triviais, cuidados com os filhos etc. Já nas crianças e adolescentes, o foco da ansiedade está mais direcionado para o desempenho escolar ou os jogos competitivos. Também é normal que, durante o curso do TAG, o foco de preocupação mude de evento para evento.

SEJA GENEROSO COM VOCÊ MESMO: CUIDE-SE!

Apesar de parecer difícil para o paciente ansioso se livrar dos medos e da preocupação excessiva, a terapia cognitivo-comportamental tem se mostrado extremamente eficaz no tratamento do TAG. As técnicas e os métodos específicos ajudam o paciente a mudar suas crenças errôneas, oferecem treinamento na solução de problemas e melhoram o gerenciamento do seu tempo. Com a ajuda do terapeuta, o paciente também poderá obter maior controle das próprias ações e aprender a escolher o comportamento mais adequado para determinadas situações. Além disso, o paciente poderá contar com as técnicas de relaxamento, que diminuem consideravelmente os níveis de ansiedade.

Embora a TCC seja muito eficaz para o TAG, somente essa prática terapêutica, muitas vezes, não é suficiente para trazer o alívio necessário para os sintomas que o paciente apresenta. Neste caso, a intervenção medicamentosa se faz necessária e poderá acelerar o processo de recuperação e o surgimento de resultados mais satisfatórios.

Dentre os medicamentos mais utilizados estão os que aumentam os níveis de serotonina no cérebro (os ISRS), que, além de diminuírem a ansiedade, agem também na depressão, caso ela esteja associada ao TAG. Os benzodiazepínicos (tranquilizantes) podem ser usados concomitantemente com os antidepressivos, pois trazem alívio imediato. No entanto, é necessário ter cautela, pois podem causar dependência química e, por isso, as doses administradas devem ser as mais baixas possíveis. Com o decorrer do tratamento, os tranquilizantes deverão ser retirados de forma gradativa (depois de poucos meses), dando prioridade aos antidepressivos e/ou à psicoterapia. A duração do tratamento está intimamente relacionada à gravidade de cada caso, podendo variar de 6, 12 meses até vários anos.

É sempre bom ter em mente que uma dose equilibrada e saudável de ansiedade é vital para nossa existência. Sem ela seríamos absolutamente apáticos, sem vontade de conquistas, de marchar sempre em frente para que a vida faça sentido, mesmo com todas as vicissitudes. Planejar o futuro com metas e estratégias é extremamente benéfico, pois nos dá a direção certa a tomar daqui para a frente, além de prevermos as dificuldades que poderão surgir. Porém, quando estamos famintos demais, por exemplo, ficamos impossibilitados de selecionar os alimentos mais adequados, mais saborosos e mais saudáveis para saciarmos nossas necessidades básicas. Da mesma forma, a ansiedade em demasia pode nos cegar diante de decisão de escolhas mais sensatas quanto ao nosso cotidiano e à vida futura.

Estar num estado permanente de vigília e ansiedade é perder os parâmetros normais da realidade, enfiar os pés pelas mãos, viver aos trancos e barrancos, navegar à deriva num mar revolto. É tornar-se refém de um sentimento que insiste em nos dominar; é como um cão feroz que se enforca na própria coleira quanto mais se debate para ficar livre dela!

A ansiedade excessiva estabelece uma conexão direta com o futuro que talvez nunca exista. Enquanto isso, não nos damos conta das oportunidades que o presente generosamente nos oferece e que estão bem aqui, o tempo todo, ao alcance de nossas mãos. Então, por que não agarrá-las?

Agora a escolha é de cada um!

Minha pedra é ametista
Minha cor, o amarelo
Mas sou sincero
Necessito ir urgente
ao dentista
(...)
Na idade em que estou
Aparecem os tiques,
as manias...

JOÃO BOSCO E ALDIR BLANC — Bijuterias

CAPÍTULO 7

TRANSTORNO OBSESSIVO--COMPULSIVO (TOC): QUANDO A ANSIEDADE E AS MANIAS SE ENCONTRAM

Quando escrevi o livro *Mentes e Manias,* no qual expus de forma clara e objetiva o transtorno obsessivo-compulsivo (TOC), fiquei e até hoje fico muito impressionada com a quantidade de pessoas que me procuram, seja para consultas e tratamento, seja por cartas e e-mails, no sentido de obter orientação. Pude perceber quantos se identificaram com o assunto, mas sofriam calados, sozinhos, envergonhados, sem terem a mínima ideia de que se tratava de um problema para o qual existe tratamento.

As manifestações dos leitores demonstraram que o objetivo havia sido alcançado: levar o maior número de informações possível ao público sobre os mistérios de um transtorno que afeta milhões de pessoas em todo o mundo, norteando-os e despertando o desejo de buscar ajuda especializada, não somente para si mesmos, como também para as pessoas de seu convívio.

O transtorno obsessivo-compulsivo é, sem sobra de dúvida, o mais complexo quadro entre os transtornos de ansiedade, que intriga tanto os profissionais da classe médica quanto os da psicologia em todo o mundo. É um transtorno que traz um intenso sofrimento aos portadores, que normalmente sofrem sozinhos e tentam esconder o problema dos familiares. Sendo assim, mesmo já tendo escrito de forma clara e acessível sobre este assunto em um livro à parte, não poderia deixar de citá-lo aqui, mesmo que de forma sucinta ou apenas com informações básicas.

Por isso, inicio este capítulo com os seguintes questionamentos: você tem alguma mania que lhe causa grande incômodo e consome muito tempo da sua rotina? Preocupa-se excessivamente com a limpeza ou organização, lava as mãos várias vezes ao dia ou confere se fechou o gás, portas e janelas com receio de que algo muito desagradável possa acontecer? Tem pensamentos persistentes, que não fazem nenhum sentido, mas provocam muita angústia e prejudicam a sua vida?

Se você respondeu *sim* a algumas dessas perguntas ou se identificou em situações muito parecidas, pode estar sofrendo de transtorno obsessivo-compulsivo e precisando de ajuda especializada.

Como o próprio nome já diz, o transtorno obsessivo-compulsivo (TOC) é caracterizado pela presença de *obsessões* e *compulsões*.

As *obsessões* são pensamentos repetitivos, negativos, estressantes, de natureza sempre ruim ou desagradável, que surgem de forma insistente e intrusiva, como se fossem "disquinhos arranhados" de que a pessoa não consegue se desvencilhar. Esses pensamentos obsessivos, por mais que pareçam absurdos ou irreais, tornam-se incontroláveis. Mesmo que seja improvável que tais pensamentos se concretizem no plano real, os portadores supervalorizam a possibilidade de eles acontecerem e, por isso, desenvolvem comportamentos repetitivos (*compulsões*) na tentativa de evitar que ocorram. É uma forma de compensar e aliviar o estado ansioso em que se encontram.

Assim, as *compulsões*, conhecidas popularmente como "manias", são comportamentos repetitivos que a pessoa se obriga a ter para "anular" as consequências de seus pensamentos *obsessivos*, que ela teme que se realizem. Como exemplos, posso citar a pessoa que checa dezenas de vezes as trancas de suas portas e janelas porque pensa, seguidamente, que alguém pode invadir a sua casa em função de um mero "descuido"; ou, ainda, conta infinitas vezes determinados objetos, com medo de perdê-los. Mesmo sabendo que tudo está certo, o medo e a ansiedade são tão intensos que é quase impossível cessar a verificação. As compulsões também são conhecidas como rituais e podem ser expressas das mais diversas formas, dependendo de cada caso.

Muitas vezes, não têm uma relação direta, pelo menos plausível, com o pensamento em si.

Uma boa forma de você, leitor, entender as obsessões no TOC é vivenciar o seguinte teste: nos próximos 10 segundos, feche os olhos e *não* pense na cor azul. Percebeu a dificuldade? Se você fez o teste, notou que durante esse período foi impossível não pensar nessa cor. Você certamente também deve ter sentido que, quando deseja muito não pensar em alguma coisa, paradoxalmente, esse pensamento se fixa na sua mente de uma forma incontrolável. É automático.

É exatamente esse descontrole (de pensamento) que leva a pessoa a praticar os atos compulsivos. Porém, invariavelmente, os pensamentos dos que sofrem de TOC e que, consequentemente, levam à prática de rituais (compulsões) são de conteúdo ruim, catastróficos e persistentes. Assim, quanto mais o portador de TOC tenta se livrar do pensamento ruim, por meio das "manias", na tentativa de "exorcizar" as obsessões geradoras de grande ansiedade e sofrimento, mais ele se torna presente e repetitivo, mesmo sabendo que não faz nenhum sentido.

Henrique, um comerciante de 26 anos, relata a forma como surgiram os primeiros sintomas e a proporção que o problema tomou com o passar dos anos:

> *Tudo começou aos 15 anos. Nessa época, eu me sentia responsável pela minha irmã mais nova e gostava de me impor. Mas Cristina adoeceu e faleceu antes que eu completasse 16 anos. A partir daí, passei a pensar que ela morreu por minha culpa, pela forma como eu a tratava. Jamais me perdoei por isso! Comecei a ter pensamentos estranhos que me perturbavam tanto que eu me obrigava a fazer certas tarefas, caso contrário, alguém da minha família iria morrer também. Assim, passei a organizar simetricamente todos os livros da estante, os CDs e tudo o que encontrava pela frente, sem nenhum controle. Tinha total consciência de que*

isso era absurdo, mas também a nítida impressão de que, se eu não fizesse, poderia prejudicar outras pessoas. Depois, impus-me andar sempre com alguma roupa branca, principalmente a camisa. Acreditava que qualquer outra cor pudesse atrair coisas ruins. Um dia, um amigo comentou que seu filho de apenas um ano e meio não poderia mais tomar leite por recomendação do pediatra. Desde então, nunca mais ingeri leite ou qualquer derivado de leite, com medo de adoecer ou morrer. Com o tempo, os pensamentos ruins e as manias foram aumentando e hoje estão num nível insuportável. Todos dizem que sou esquisito, sistemático, metódico, mas pra ser sincero acho que estou enlouquecendo. Pedi férias no trabalho e não consigo mais raciocinar direito.

O medo e a ansiedade são sempre os "combustíveis" que alimentam o pensamento obsessivo e, por consequência, a compulsão (manias). O seu portador vive numa prisão emocional e mental, de que somente ele tem a chave, mas, por medo ou por falta de entendimento e orientação, não consegue fazer uso dela. O medo e a ansiedade podem se tornar insuportáveis se o indivíduo não der vazão à compulsão, que é o caminho mais curto para se livrar do pensamento desagradável. Infelizmente, esse caminho que parece mais fácil, na realidade, é uma grande cilada!

Segundo algumas pesquisas, as pessoas com TOC levam cerca de dez anos, após o surgimento dos primeiros sintomas, para procurar ajuda profissional. Isso se deve aos seguintes fatores:

- o portador sabe que esses pensamentos são absurdos;
- acredita que, por si próprio, conseguirá controlá-los, nem que seja dando vazão aos seus atos compulsivos;
- acredita que essas compulsões não afetarão drasticamente a sua vida;
- tem vergonha de expor aos outros o seu problema.

Os familiares, muitas vezes, percebem alterações no comportamento do portador de TOC, mas consideram estes hábitos repetitivos como "esquisitices" e, por falta de informação, não acreditam se tratar de uma doença. A atitude da família só começa a mudar à medida que o caso progride e piora de tal forma que compromete a rotina diária desse indivíduo, assim como a de todos os envolvidos.

É muito comum que uma pessoa com TOC, que, habitualmente, é muito pontual e irrepreensível no cumprimento de seus deveres, acabe mudando esse comportamento, uma vez que a realização dos rituais (manias) impostos por ela mesma demanda um tempo considerável. Banhos demorados, estar impecavelmente arrumado antes de sair de casa ou verificar todos os detalhes, por exemplo, às vezes consome horas, interferindo nos compromissos sociais, profissionais e acadêmicos do indivíduo.

Thaís, de 27 anos, secretária bilíngue, relata o quanto o TOC prejudicou sua vida pessoal:

Há cerca de quatro anos comecei a sentir um incômodo de que meus dentes estavam sujos com certa frequência. Toda vez que isso acontecia, me sentia melhor ao escová-los. O fato é que eu ainda não me convencia de que eles já estavam limpos e precisava escová-los novamente pra tirar aquela sensação desagradável. Com o passar do tempo, isso foi piorando e precisava repetir a escovação por 15, até 20 vezes ao dia. Se eu tentasse me controlar, sentia falta de ar, palpitação, tremores e muito medo. A situação foi se agravando, a ponto de desgastar o esmalte dos dentes, perder alguns deles e ter problemas na gengiva. Depois disso, sentia-me suja por inteiro, precisava tomar banho várias vezes ao dia e ficava muito tempo debaixo do chuveiro. Só saía do banho quando o sabonete acabava. Com isso, eu, que sempre fui muito certinha e responsável, comecei a me atrasar para o trabalho, e meu rendimento despencou. Sem falar na minha aparência, que piorava a olhos vistos, com a pele e os dentes visivelmente prejudicados. Minha autoestima desapareceu, e a depressão tomou conta de mim por eu me ver daquela maneira. Não tive mais chances, fui demitida e hoje estou desesperada.

Os sintomas de TOC envolvem as seguintes alterações:

➲ *do comportamento*: rituais, compulsões, repetições, evitações;
➲ *dos pensamentos*: preocupações excessivas, dúvidas, pensamentos de conteúdo inapropriado, obsessões;
➲ *das emoções*: medo, desconforto, aflição, culpa.

Alguns casos de TOC evoluem de forma tão extrema a ponto de o portador não conseguir mais esconder o problema, expondo-se em situações bizarras e muito constrangedoras.

AS COMPULSÕES OU MANIAS MAIS FREQUENTES

➲ *Mania de limpeza e lavagem*: banhos intermináveis, lavar repetidas vezes as mãos até sangrarem, medo de se contaminar ao tocar determinados objetos, limpar os objetos com diversos produtos de limpeza etc.

➲ *Mania de ordenação ou simetria*: ritual de guardar ou ordenar determinados objetos sempre da mesma forma, na mesma posição ou ainda com a mesma simetria em relação aos demais objetos. O jogador inglês de futebol David Beckham admitiu, em abril de 2006, que sofre de TOC e precisa colocar os objetos em linha reta ou em pares. Segundo ele, ao chegar a um hotel, antes mesmo de relaxar, precisa guardar todas as revistas e livros em uma gaveta: "Tudo deve estar impecável."*

---

* Disponível em: http://abcnews.go.com/Entertainment/celebrities-obsessive-compulsive-disorders-hollywood-stars-ocd/story?id=10689626&page=3. Acessado em 1º de junho de 2010.

➲ *Mania de verificação ou checagem*: conferir diversas vezes se trancou o carro, se o filho chegou da escola, se o despertador está programado para a hora certa, se desligou o gás do fogão etc. Mesmo que tudo esteja perfeito, a dúvida sempre invade a mente de quem sofre de TOC, que acaba por repetir o movimento infinitas vezes.

➲ *Mania de contagem*: não conseguir subir uma escada sem contar o número de degraus, contar as listras da camisa do seu interlocutor durante uma conversa, quantas janelas tem o prédio ao lado cada vez que um pensamento desagradável invade sua mente, entre outros.

➲ *Mania de colecionamento*: guardar uma série de inutilidades, na maioria das vezes verdadeiros "lixos", como garrafas vazias, jornais velhos, por puro medo de que possa um dia precisar daquelas "quinquilharias" e não tê-las mais à mão. Muitas pessoas, ao ganhar ou comprar determinados objetos, em vez de usá-los imediatamente, guardam-nos por anos a fio, esperando uma ocasião especial, ou simplesmente por não conseguirem se desvencilhar deles. Muitas vezes a casa dessas pessoas vira um verdadeiro depósito de objetos de todas as espécies, que as impede de se locomover dentro de seu próprio lar.

➲ *Mania de repetição*: ligar e desligar o interruptor de luz, apagar e reescrever, escrever a mesma frase várias vezes etc. Este tipo de compulsão, na maioria das vezes, ocorre em conjunto com outras, tais como a de checagem e a de lavagem, por exemplo.

➲ *Mania mental*: normalmente são atos voluntários, como pensar em uma determinada frase ou som para "anular" determinados pensamentos desagradáveis. Pode ocorrer por meio de questões místicas, como rezar por horas a fio para evitar que algo ruim ocorra com uma pessoa querida. Pensar em números, frases, palavras repetidamente para afastar as ideias ruins que invadem sua mente também é comum.

➲ *Manias diversas*: não usar marrom ou outra cor, cuspir ao passar numa esquina com velas, não cortar os cabelos ou unhas por medo de que algo aconteça etc. Geralmente estão relacionadas a evitações e superstições, mas sempre com intenso sofrimento.

Não raro os pacientes também relatam obsessões de conteúdo sexual e/ou de caráter religioso, o que envolve sentimentos de muita culpa. Um exemplo desse tipo de obsessão pode ser observado no depoimento de Carla, 22 anos, universitária, que descreve como tentou resolver o seu problema:

Quando eu tinha 15 anos, tive uma grave discussão com meu pai, que não aceitava de maneira alguma que eu namorasse. Passado esse conflito, comecei a ter uns pensamentos absurdos, sempre ligados a temas violentos, sexuais ou religiosos. Imaginava-me tendo relações sexuais com meu irmão mais novo; os santos nus, exibindo seus órgãos genitais; via-me matando uma criança; pensava num palavrão com o nome de Deus. Foi horrível. Lembro que me sentia muito culpada e achava que estava ficando louca. Não conseguia controlar meus pensamentos. Começava a rezar o Pai Nosso sempre que esses pensamentos me "atacavam", mas nem sempre dava resultado. Passei a ter manias totalmente sem sentido para me livrar das ideias ruins, como bater de um lado ao outro da parede, deitar no meio da sala etc. Na época, não suportei e acabei contando aos meus pais o que estava acontecendo comigo. Ficaram apavorados: levaram-me a uma benzedeira, depois a um centro espírita e assim por diante. Há algum tempo li uma entrevista sobre o TOC e reconheci, em mim, muitos daqueles sintomas descritos. Mostrei aos meus pais, que procuraram ajuda de um psiquiatra e de uma psicóloga. Depois de um ano de tratamento já me sinto mais encorajada e aos poucos estou controlando meus pensamentos e minhas manias.

Todos nós podemos ser um pouco obsessivos, supersticiosos ou ter algumas "manias", como forma de nos organizar melhor e de prevenir problemas. Na verdade, ser um pouquinho preocupado e ansioso na medida certa é bastante importante. No entanto, se isso passa de um determinado limite, chegando a criar pensamentos e comportamentos repetitivos, que nos trazem sofrimento, que nos fazem perder horas de nosso dia, impedindo-nos de viver a vida de forma plena, é hora de acender a luz vermelha e procurar ajuda.

LIBERTE-SE DA PRISÃO MENTAL

O TOC já foi considerado um transtorno raro, até porque as pessoas portadoras costumam esconder seus problemas, normalmente por vergonha, já que elas mesmas têm consciência do absurdo de seus pensamentos e compulsões. Mas, atualmente, se sabe que cerca de 4% da população em geral sofre do problema, sendo, portanto, mais comum que o diabetes. É possível que exista um contingente muito maior de portadores de TOC e, conforme as informações vão sendo divulgadas para o público leigo, mais condições tem o indivíduo de identificar o problema e buscar ajuda.

O transtorno costuma aparecer, em média, entre 20 e 25 anos de idade, acometendo um pouco mais as mulheres do que os homens. Um número relativamente grande de crianças também costuma aparecer no consultório com o quadro já instalado. O TOC tem um curso crônico e, à medida que o tempo passa, a tendência é piorar. Assim, quanto mais rápido forem feitos o diagnóstico e o tratamento adequado, mais chances o indivíduo tem de recuperar sua qualidade de vida e evitar que o problema interfira de forma dramática nos campos social, profissional, acadêmico, entre outros de grande importância.

Quanto às causas do transtorno, ainda não se sabe com precisão, mas há um desequilíbrio neuroquímico em algumas áreas do cérebro, envolvendo principalmente o neurotransmissor serotonina. O mecanismo exato ainda não está totalmente esclarecido; no entanto, hoje já se tem muito mais dados importantes do que há algumas décadas. De qualquer forma, uma coisa é certa: o componente genético é muito forte, uma vez que é comum que várias pessoas de uma mesma família sejam acometidas.

Os traços de personalidade que colocam uma pessoa sob risco de desenvolver o TOC são a ansiedade, o perfeccionismo, o desejo de ter tudo sob controle, um senso exagerado de responsabilidade e de dever.

No que tange ao tratamento, é fundamental que seja medicamentoso, pois visa corrigir os baixos níveis cerebrais de serotonina. A psicoterapia de abordagem cognitivo-comportamental também é de grande importância, pois atua de forma bastante objetiva e estruturada para que os portadores de TOC mudem suas ideias distorcidas em relação aos acontecimentos, ao ambiente e à vida em geral, bem como seus comportamentos repetitivos.

Mesmo após as melhoras substanciais, o ideal é manter a medicação por pelo menos dois anos, para evitar recaídas. Em casos mais graves, há necessidade de se usar a medicação, em baixas doses, pelo resto da vida.

Se a pessoa estiver passando por momentos de estresse (psicológico ou biológico), os sintomas podem aparecer ou se intensificar. Por isso, o tratamento deve conter também um componente de mudança de estilo de vida, para minimizar a suscetibilidade ao estresse. A prevenção é um fator importante.

As diferentes manifestações do TOC causam grandes sofrimentos aos seus portadores, que podem se sentir fracos, loucos, incapazes, autocríticos, gerando culpas e depressão. Os familiares também devem estar muito bem-informados a respeito do assunto, pois muitas vezes, com a melhor das intenções, acabam se envolvendo nos rituais do paciente e contribuindo para que o problema aumente. De maneira inversa, por falta de informação, a família também pode ser um fator de agravamento do problema, ao debochar, ironizar, ridicularizar ou expor o portador de TOC a situações desagradáveis.

Carinho, apoio e compreensão são fatores que não podem faltar quando o médico e/ou terapeuta está diante de um paciente com transtorno obsessivo-compulsivo. No entanto, é fundamental enfatizar que o tratamento só será bem-sucedido quando houver muita paciência, vontade e persistência, por parte tanto do portador quanto das pessoas do seu convívio. O tratamento, para que seja eficaz, depende de todos, mas principalmente daquele que sofre do problema. Além disso, para despertar desse sonho ruim, é necessário se flexibilizar, entender e aceitar as fatalidades e os acontecimentos inevitáveis da vida.

Bom é não fumar
Beber só pelo paladar
Comer de tudo que
for bem natural
E só fazer muito amor
Que amor não faz mal
Então, olha aí,
monsieur Binot
Melhor ainda
é o barato interior
O que dá maior satisfação
É a cabeça da gente,
a plenitude da mente
A claridade da razão

JOYCE — Monsieur Binot

CAPÍTULO 8

DICAS PRECIOSAS E NÃO MEDICAMENTOSAS PARA SUPERAR A ANSIEDADE

O primeiro e decisivo passo para superar a ansiedade e o medo excessivos é reconhecer e aceitar os seus próprios medos. Todos, sem exceção, têm medos – grandes ou pequenos –, e você não fica de fora. Se isso estiver trazendo prejuízos significativos em diversos setores da sua vida, o segundo passo é procurar ajuda especializada. Você de fato pode estar sofrendo de um *transtorno de ansiedade* e necessitará de diagnóstico e tratamento adequados.

Caso o diagnóstico seja dado, leve o problema e os tratamentos a sério. Os transtornos de ansiedade devem ser encarados como qualquer outra doença (hipertensão, diabetes, enfisema etc.). Não se envergonhe nem esconda o seu problema, pois isso só faz o "monstro" interno crescer.

Aprenda tudo sobre os seus medos e os transtornos que eles podem lhe causar. Procure literaturas especializadas, troque experiências com outras pessoas, assista a filmes que retratem o problema. Quanto mais souber sobre o assunto, mais aumentará sua munição contra o "inimigo".

Procure suporte de outras pessoas. Tentar melhorar sozinho é sempre muito mais difícil. Familiares, amigos próximos e associações de portadores de transtornos de ansiedade podem ser bases de apoio importantes e ajudam bastante no tratamento.

Participe ativamente do processo da sua recuperação. Busque alternativas de melhora, empenhe-se nas tarefas propostas por seu terapeuta e mantenha sempre um diálogo franco e aberto com o seu médico. Esperar passivamente que os sintomas aliviem não é suficiente. Vencer os medos depende de você querer se ajudar e, lembre-se, ninguém poderá fazer isso por você.

Além destas, existem muitas possibilidades que contribuem para baixar o nível de ansiedade. A seguir, descrevo aquelas que considero fundamentais como coadjuvantes no tratamento dos transtornos de ansiedade.

PRINCÍPIOS DIETÉTICOS

Muitas pessoas não se dão conta do importante papel que a seleção de alimentos pode desempenhar na intensificação ou na redução de sintomas de ansiedade, pânico e estresse excessivo. As pesquisas médicas nas áreas de dieta e nutrição, nos últimos trinta anos, demonstraram que muitos alimentos, bebidas e suplementos alimentares podem agravar ou desencadear sentimentos de ansiedade. Em contrapartida, outros estudos concluíram que certos alimentos são benéficos por suas propriedades calmantes e estabilizadoras do estado de ânimo ou humor.

ALIMENTOS A SEREM EVITADOS

Em minha experiência com os pacientes que sofrem de ansiedade, desde moderada até grave, certos alimentos deveriam ser inteiramente eliminados ou, pelo menos, drasticamente reduzidos a pequenas quantidades, usados ocasionalmente, em eventos especiais:

Cafeína (café, chá preto, refrigerante à base de cola etc.)

A cafeína deflagra ansiedade e até mesmo sintomas de pânico porque excita diretamente vários mecanismos de estimulação do corpo. Eleva o nível de noradrenalina do cérebro, um neurotransmissor que aumenta a vivacidade. Além disso, a cafeína estimula a descarga de hormônios do estresse, principalmente o cortisol, a partir da estimulação das glândulas suprarrenais, intensificando ainda mais os sintomas de nervosismo e agitação.

A cafeína ainda exaure as reservas de vitaminas do complexo B e de minerais essenciais do corpo, como o potássio e o cálcio. A deficiência desses nutrientes aumenta a ansiedade, as oscilações de humor e a fadiga. A exaustão do estoque de vitaminas do complexo B no organismo também interfere no metabolismo dos carboidratos e no funcionamento saudável do fígado, o qual ajuda a regular os níveis de açúcar no sangue.

Se você sofre de sintomas de ansiedade, independente da causa, recomendo que reduza o seu consumo de café a uma xícara diária e tente eliminar os refrigerantes à base de cola e chás que contenham cafeína. Muitos chás de ervas como camomila, cidreira, erva-doce e hortelã-pimenta podem exercer um efeito relaxante sobre o corpo, ajudando a reduzir a ansiedade.

Açúcar

A glicose é uma forma simples de açúcar que proporciona ao corpo a sua principal fonte de energia. Se não tivéssemos um constante fornecimento de glicose, não poderíamos produzir as inúmeras reações químicas que nosso corpo necessita para desempenhar suas funções diárias. Somente o cérebro, para seu bom funcionamento, é responsável pelo consumo de 20% do total de glicose disponível no organismo. Entretanto, a forma como introduzimos esse importante alimento em nosso organismo pode afetar de maneira profunda nosso estado de humor.

O ideal é ingerir maiores quantidades de carboidratos (açúcares) complexos, como cereais integrais, batatas, legumes e frutas. Os açúcares desses alimentos são digeridos lentamente e liberados na circulação sanguínea de forma muito gradual. Assim, a quantidade de glicose obtida com a digestão desses alimentos não sobrecarrega a capacidade do corpo para absorvê-la.

Infelizmente a maioria das pessoas no mundo ocidental costuma obter as doses necessárias de glicose para o bom funcionamento do organismo pelo uso excessivo de açúcar simples, ou seja, o açúcar refinado branco ou o açúcar mascavo, que constituem o ingrediente primário da maioria dos biscoitos, caramelos, bolos, tortas, refrigerantes, sorvetes e outros doces. Além disso, as massas e os pães feitos de farinha branca, da qual se retiram todo o farelo, ácidos graxos essenciais e nutrientes, funcionam como açúcares simples.

Com o predomínio do açúcar simples em muitos alimentos, nossa sociedade acaba por produzir milhares de viciados em açúcar em todas as faixas etárias. A excessiva ingestão de açúcar pode ser um importante fator no surgimento de sintomas de ansiedade. A questão ocorre da seguinte forma: em vez de carboidratos complexos, os alimentos baseados em açúcar e farinha branca decompõem-se facilmente no tubo digestivo. Assim, a glicose é liberada rapidamente na corrente sanguínea e absorvida pelas células do corpo a fim de satisfazer suas necessidades energéticas. Para dar conta dessa repentina sobrecarga, o pâncreas libera grandes quantidades de insulina, uma substância que realiza o transporte da glicose do sangue para dentro das células do corpo.

Diante dessa constante abundância de carboidratos de fácil digestão (os chamados carboidratos simples), o pâncreas tende a exagerar a quantidade de insulina necessária. Como consequência, o nível de açúcar (glicose) no sangue vai de um nível alto para um nível baixo demais de forma abrupta. Isso resulta no efeito "montanha-russa", muito visível na hipoglicemia ou na TPM feminina.

A pessoa pode se sentir inicialmente eufórica após ingerir açúcar, e depois sentir um rápido choque e uma redução profunda em seu nível de energia. Quando o nível de açúcar no sangue fica demasiadamente baixo, a pessoa sente-se ansiosa, agitada e confusa porque o cérebro é privado do seu combustível maior. Para tentar remediar essa situação, as glândulas suprarrenais liberam cortisol e outros hormônios que estimulam o fígado a liberar o açúcar que está armazenado, de modo que os níveis sanguíneos voltem ao normal. O problema é que o cortisol, além de estimular a elevação dos níveis de açúcar no sangue, também aumenta, infelizmente, os sintomas de excitação e ansiedade.

Não há dúvidas de que o excesso de açúcar estressa muitos sistemas do organismo, o que piora a saúde e intensifica a ansiedade, a tensão nervosa e a fadiga. Procure satisfazer seu desejo de doce mudando para alimentos mais saudáveis. Prefira as sobremesas baseadas em frutas ou cereais, como biscoitos de farinha de aveia com suco de fruta ou mel. Peça também orientação a um bom nutricionista, pois ele conhece várias opções saborosas e saudáveis de sobremesas que poderão satisfazer seus desejos sem perturbar o seu humor e a sua disposição física.

Álcool

O álcool é também um açúcar simples, por isso é rapidamente absorvido pelo organismo. Tal como os açúcares, o álcool aumenta os sintomas de hipoglicemia, e o seu uso excessivo pode aumentar a ansiedade e as oscilações de humor.

O álcool é ainda um irritante para o fígado e diversas outras partes do aparelho digestivo. Também pode causar danos inflamatórios ao pâncreas. Com o tempo, todas essas alterações talvez resultem em um agravamento dos estados de hipoglicemia, o que pode deflagrar um quadro de diabetes, assim como uma deficiência na absorção de nutrientes essenciais pelo intestino delgado.

O sistema nervoso é particularmente suscetível aos efeitos deletérios do álcool, uma vez que esse atravessa facilmente a barreira de irrigação sanguínea do cérebro e destrói as células cerebrais. Em função disso, o álcool pode causar profundas mudanças comportamentais quando consumido em excesso. Os principais sintomas incluem a ansiedade, a depressão, os acessos irracionais de cólera, a baixa capacidade de julgamento, a perda de memória, vertigens e a coordenação motora deficiente.

Mediante essas informações, recomenda-se que as pessoas com sintomas de ansiedade usem muito raramente bebidas alcoólicas e, quando o fizerem, que seja de forma cuidadosa: nunca exceder duas taças de vinho, duas latinhas de cerveja ou apenas uma dose de qualquer destilado (uísque, vodka, aguardente etc.).

Suplementos alimentares

Milhares de suplementos químicos são usados na fabricação comercial de alimentos. Alguns, muito populares, que incluem os adoçantes sintéticos (como o aspartame), o glutamato monossódico (MSG) e os conservantes (como os nitratos e os nitritos), podem produzir sintomas alérgicos e desencadear ansiedade em muitas pessoas.

Alguns pacientes se queixaram de que o uso do adoçante artificial aspartame precipitara neles sintomas pré-pânico, tais como taquicardia, respiração superficial, dores de cabeça, ansiedade e vertigem.

O glutamato monossódico é muito utilizado na preparação de alimentos com o objetivo de realçar o sabor dos pratos. Algumas pessoas reclamam de dores de cabeça e ansiedade quando consomem alimentos preparados com esse tempero.

Recomendo às pessoas que apresentam maior sensibilidade a esses suplementos químicos que chequem os rótulos dos alimentos para evitar tais reações desagradáveis.

Laticínios e carnes vermelhas

Devem fazer parte da dieta de forma moderada, uma vez que ambos os tipos alimentares são de digestão extremamente difícil para o organismo. Por essa razão podem agravar a depressão e a fadiga que coexistem em muitas pessoas com sintomas de ansiedade.

ALIMENTOS QUE ALIVIAM A ANSIEDADE

Certos grupos de alimentos são tolerados por quase todas as pessoas, até mesmo por aquelas que são ansiosas ou extremamente preocupadas. Esses alimentos incluem a maioria das verduras, frutas, féculas, alguns cereais, quinoa, amaranto, milho, arroz e nozes. No início do tratamento, eles devem constituir o núcleo de sua alimentação. À medida que você se sentir melhor, podem-se adicionar mais frutas, cereais, óleos, peixes, aves e carnes (com moderação).

Verduras

São alimentos excepcionais para o alívio da tensão e do estresse. Muitas são ricas em minerais importantes para melhorar o vigor físico, a resistência e a vitalidade, como o cálcio, o magnésio e o potássio. Algumas das melhores fontes desses minerais incluem a acelga, o espinafre, o brócolis, a couve, as folhas de beterraba e as folhas de mostarda.

Muitas verduras são ricas em vitamina C, que é uma importante substância antiestresse. As verduras ricas em vitamina C incluem a couve-de-bruxelas, o brócolis, a couve-flor, a couve-manteiga e a salsa.

Frutas

As frutas também possuem uma ampla gama de nutrientes que podem aliviar a tensão e o estresse. Morangos, amoras, framboesas, melões e laranjas são excelentes fontes de vitamina C.

As uvas, amoras e bananas são ricas em cálcio e magnésio, dois minerais essenciais ao funcionamento adequado do sistema nervoso e da função muscular. As uvas e as bananas são também fontes excepcionais de potássio, que é muito bom para a fadiga excessiva e o inchaço.

Recomenda-se comer a fruta toda para se beneficiar do seu conteúdo rico em fibras, as quais ajudam a evitar a prisão de ventre e outras irregularidades digestivas. Em fase de muito estresse, consuma a fruta e evite os sucos de frutas. O suco de frutas não contém o volume de fibras da fruta inteira, dessa forma age mais como o açúcar de mesa, desestabilizando o nível de glicose no sangue quando consumido em excesso. Isso pode exacerbar a ansiedade, a fadiga e as variações do humor.

Féculas

Batatas, batatas-doces e inhames são carboidratos leves, bem-tolerados, fontes adicionais de proteínas de fácil digestão para pessoas com ansiedade e tensão nervosa. Tal como os carboidratos complexos, as féculas são calmantes, pois ajudam a regularizar o nível de açúcar no sangue.

Legumes

Feijões e ervilhas são excelentes fontes de cálcio, magnésio e potássio, necessários ao funcionamento saudável do sistema nervoso, e têm propriedades de relaxamento emocional e muscular. Os legumes também são fontes de proteínas que podem ser facilmente utilizadas e, por isso mesmo, substituem as carnes em muitas refeições.

Cereais integrais

Os cereais integrais são fontes de nutrientes estabilizadores do humor, como o complexo da vitamina B, a vitamina E, muitos minerais essenciais, carboidratos complexos, proteínas, ácidos graxos essenciais e fibra. Os cereais integrais ajudam a estabilizar o nível de açúcar no sangue e, dessa forma, previnem os sintomas de ansiedade desencadeados pela hipoglicemia.

O arroz integral e o milho são boas escolhas para pessoas com sintomas moderados de ansiedade. Nessa categoria estão também o trigo sarraceno e as alternativas exóticas, como a quinoa e o amaranto.

Sementes e nozes

Sementes e nozes são as melhores fontes dos dois ácidos graxos essenciais, o ácido linoico e o ácido linolênico. Esses ácidos fornecem as matérias-primas de que o nosso organismo necessita para produzir os benéficos hormônios prostaglandinas. Níveis elevados de ácidos graxos essenciais em uma dieta são muito importantes na prevenção dos sintomas físicos da TPM, menopausa, transtornos emocionais e alergias. As sementes que possuem ambos os ácidos graxos são a linhaça e as sementes de abóbora. As sementes de gergelim e de girassol são excelentes fontes de ácido linolênico.

Nozes e sementes são extremamente ricas em calorias e podem ser de difícil digestão, principalmente se forem torradas e salgadas. Portanto, devem ser ingeridas somente em pequenas quantidades.

Carnes, aves e peixes

As carnes vermelhas e as aves devem ser comidas em pequenas quantidades. A melhor escolha é o peixe. Ao contrário das demais carnes, o peixe contém ácido linolênico, ajudando a relaxar o estado de ânimo, assim como os músculos tensos.

O peixe é também uma excelente fonte de minerais, sobretudo de iodo e potássio. Escolhas particularmente boas para pessoas ansiosas são o salmão, o atum, a cavala e a truta.

TÉCNICAS DE RELAXAMENTO

Incluir exercícios de relaxamento no tratamento da ansiedade e do estresse tem dado um feedback muito positivo. A grande maioria dos pacientes relata uma sensação de maior bem-estar com a utilização das técnicas de relaxamento e também assinala melhoras significativas em sua saúde física.

As pessoas com sintomas constantes de ansiedade e tensão nervosa são invadidas por um fluxo contínuo de ideias negativas. Ao longo do dia, sua mente consciente é inundada por pensamentos e fantasias que geram sentimentos conturbados. A maioria desses sentimentos refere-se aos problemas de saúde, de finanças ou de relações pessoais e de trabalho. Essa implacável repetição mental de questões não resolvidas pode reforçar os sintomas de ansiedade e ser algo extenuante. É fundamental, para essas pessoas, aprender como deter esse constante diálogo interior e aquietar a mente.

Existe uma série de exercícios e técnicas de relaxamento, todas muito boas e recomendadas. O mais importante é que você utilize aquela que lhe possibilite atingir paz física e mental. Experimente algumas e observe o resultado: se sua mente começar a se esvaziar e depois de algum tempo permanecer quieta, como se nada mais importasse na vida, a não ser aquele estado mágico de paz e harmonia, saiba que você encontrou a sua técnica ideal. Depois disso é só treinar e treinar; afinal, o hábito faz o monge!

EXERCÍCIOS FÍSICOS

O exercício físico é uma parte importante em um programa de redução de ansiedade e do estresse. A descarga de tensão física e emocional, que acompanha uma vigorosa sessão de exercícios, reduz direta e imediatamente a ansiedade e o estresse. Além disso, os benefícios fisiológicos, a longo prazo, da prática de exercícios físicos reforçam a sua resistência ao estresse e promovem mudanças psicológicas benéficas.

Além de melhorar o funcionamento cardiovascular, o exercício regular também reduz a ansiedade pelo aperfeiçoamento do funcionamento cerebral. O exercício desobstrui e dilata os vasos sanguíneos do corpo e do cérebro, favorecendo a oxigenação e a circulação. Assim, mais nutrientes podem fluir para a execução das funções cerebrais e mais produtos tóxicos podem ser removidos do cérebro.

O exercício regular não só induz progressos funcionais no cérebro, mas também altera de forma surpreendente a própria química cerebral de um modo muito positivo, através das endorfinas beta. Estas substâncias, além de possuírem efeito sedativo para a dor, apresentam um efeito espetacular sobre a disposição e o ânimo. Reduzem também a ansiedade e a tensão nervosa.

Muitas pessoas transformam a prática de exercícios físicos em um bom hábito. E isso é muito salutar, pois substituem, conscientemente, os modos mais prejudiciais como lidavam com o estresse no passado, como abusar do álcool, comer em excesso ou adotar um comportamento agressivo.

Exercitar-se regularmente, entre três e cinco vezes por semana, pode até ser considerado um "vício" para alguns, mas ninguém pode negar que se trata de um vício muito positivo que acarreta efeitos benéficos para a saúde.

TERAPIAS COMPLEMENTARES

Ouse buscar outras técnicas terapêuticas como coadjuvantes no processo da sua recuperação. Dentre elas, destacamos a ioga, a meditação, a acupuntura, o shiatsu, entre muitas outras disponíveis e aprovadas pela Organização Mundial de Saúde (OMS).

Não defendo, aqui, que as terapias citadas substituem o tratamento convencional medicamentoso e/ou psicoterápico para quem sofre de transtornos ansiosos. Porém, a minha experiência clínica mostra que a procura por outras técnicas traz resultados bastante satisfatórios quando associadas ao tratamento estabelecido. Em geral, as terapias complementares estão voltadas para o bem-estar do indivíduo como um todo (corpo, mente e alma), proporcionando conforto, autoconhecimento e, consequentemente, autocontrole.

E por fim, reforce os laços afetivos com as pessoas queridas, procure ser generoso e não se descuide da sua espiritualidade, seja qual for a sua fé!

Mesmo quando tudo pede
um pouco mais de calma
Até quando o corpo pede
um pouco mais de alma
A vida não para
Enquanto o tempo
acelera e pede pressa
Eu me recuso
faço hora vou na valsa
A vida é tão rara (...)
Será que é o tempo que
lhe falta pra perceber
Será que temos esse
tempo pra perder
E quem quer saber
A vida é tão rara (tão rara)

LENINE E DUDU FALCÃO — Paciência

CAPÍTULO 9

DE ONDE VEM ISSO?
AS CAUSAS DO MEDO E DA ANSIEDADE

No mundo moderno, especialmente nos países mais desenvolvidos ou nas grandes metrópoles, dificilmente algum de nós irá passar por uma situação de medo intenso (pavor mesmo) relacionada ao universo natural. Convenhamos que, para nós, humanos urbanos, será muito difícil encontrar uma cobra cascavel ou surucucu, ou mesmo um crocodilo faminto nas agitadas ruas e avenidas das grandes cidades ou, ainda, não encontrarmos abrigo seguro em meio a uma grande tempestade.

Na desafiadora tentativa de governar as forças da natureza e direcionar o destino da humanidade, acabamos por criar novos riscos e ameaças para nossa própria sobrevivência: estradas de alta velocidade, armas de fogo, bombas nucleares, gases que provocam efeito estufa, armas biológicas, cobranças sociais provocadas por fracassos profissionais ou mesmo por períodos de dificuldades financeiras e afetivas, aos quais todos nós estamos sujeitos.

O fato de esses perigos não se apresentarem subitamente (de forma que não provocam uma reação de medo, intenso e real, na maioria das pessoas) não traduz, em absoluto, o caráter inofensivo deles. A ansiedade manifestada por tais situações cotidianas de perigo e ameaças, aparentemente corriqueiras e banais, representa hoje, na vida moderna, um dos principais fatores debilitantes para a saúde. A ansiedade pode reprimir certas sensações, como a alegria de fazer uma nova descoberta pessoal ou profissional, o prazer de um evento social ou uma competição esportiva, sem falar na inibição da iniciativa e da criatividade que existe em cada um de nós.

Atualmente, excetuando-se os vícios, os transtornos associados à ansiedade são os mais comuns entre todos os transtornos mentais. Mais de 10% dos norte-americanos e dos europeus sofrem de ansiedade. Se não bastasse a importância quantitativa dos transtornos de ansiedade, seu aspecto qualitativo, por si só, justificaria um entendimento mais profundo das causas da ansiedade patológica, cuja atuação sobre um indivíduo pode levá-lo a grandes prejuízos nos diversos setores de sua vida.

AS CAUSAS DA ANSIEDADE PATOLÓGICA

Quando uma pessoa se refere à ansiedade por ela sentida como uma queixa séria, ou seja, capaz de lhe trazer transtornos e limitações na vida cotidiana, é preciso averiguar, com precisão, como estão funcionando os seguintes sistemas do seu organismo: o sistema nervoso (central e periférico), o sistema endócrino, o sistema imunológico e/ou o sistema cardiovascular.

Nos casos de ansiedade patológica ou excessiva, qualquer um desses quatro sistemas funcionais do organismo pode estar comprometido.

SISTEMAS NERVOSOS CENTRAL E PERIFÉRICO

Correspondem ao cérebro (neurônios, sinapses, substâncias neurotransmissoras, células de sustentação etc.) e às fibras nervosas que ligam o cérebro aos órgãos e aos músculos de todo o nosso corpo. Quando a ansiedade excessiva é causada por alterações presentes nesses sistemas, ela é denominada *transtorno de ansiedade*.

Isso é fácil de entender, uma vez que os transtornos de ansiedade são classificados, pela medicina, como alterações mentais. Como se sabe, a mente corresponde às funções (ou energia) geradas pelo funcionamento das estruturas nervosas, especialmente o cérebro. Para que fique bem esclarecida a relação entre cérebro e mente, é só comparar com uma lâmpada e a luz que esta produz. Neste caso específico, o cérebro corresponderia à lâmpada (estrutura física) e a mente, à luz (estrutura funcional ou energética), que necessita da estrutura física para exercer sua função de "iluminar".

SISTEMA ENDÓCRINO OU GLANDULAR

Corresponde ao sistema que regula as funções reprodutivas e metabólicas, tais como a menstruação e a eficiente queima dos alimentos para a geração de energia para o organismo. As glândulas produzem hormônios que, pela corrente sanguínea, levam mensagens químicas a todas as partes do corpo.

SISTEMA IMUNOLÓGICO

Corresponde ao sistema responsável pelo combate aos "invasores" externos ao nosso corpo, como os vírus e as bactérias. Outra função importante do sistema imunológico é eliminar as células cancerosas que se formam em nosso próprio organismo.

SISTEMA CARDIOVASCULAR

Corresponde ao conjunto formado pelo coração e todos os vasos sanguíneos existentes no corpo. A principal função do sistema cardiovascular é conduzir sangue com alimento e oxigênio a todas as células do organismo.

É importante destacar que, na maioria das vezes, os sintomas de ansiedade excessiva estão relacionados com um ou mais comprometimentos desses sistemas citados. No entanto, o termo *transtorno de ansiedade* é utilizado quando o sistema nervoso for o principal sistema funcional comprometido e, portanto, responsável pelos sintomas da ansiedade patológica.

TRANSTORNOS DE ANSIEDADE E OS FATORES DE RISCO

Pesquisas revelam que os *transtornos de ansiedade*, vistos ao longo do livro, estão associados a mudanças químicas específicas no cérebro, o que ratifica o forte vínculo existente entre mente e corpo. São diversos os fatores (ou uma associação deles) que predispõem uma pessoa a desenvolver os transtornos de ansiedade:

- desequilíbrios fisiológicos;
- fatores genéticos ou predisposição familiar;
- programação familiar;
- situações de tensão emocional, a curto e longo prazos;
- crenças pessoais.

DESEQUILÍBRIOS FISIOLÓGICOS (A NEUROQUÍMICA)

Durante muito tempo se atribuiu à adrenalina o papel de principal neurotransmissor, responsável pela resposta de "luta ou fuga" apresentada pelo organismo diante de situações que oferecem riscos, sejam reais, sejam imaginárias. Hoje se sabe que a adrenalina está presente apenas no sistema nervoso periférico (SNP), ou seja, nos nervos que se localizam fora do cérebro e se comunicam com músculos e órgãos viscerais, como o coração, os pulmões e o sistema digestivo.

A adrenalina é secretada pela parte central das glândulas suprarrenais (também chamadas de adrenais) em resposta ao estresse e é uma das fontes das várias manifestações da "reação do medo", como o fato de o coração bater mais forte e rápido. Mas para que os efeitos atinjam o cérebro e desencadeiem as reações de medo e de ansiedade, essa substância, de ação periférica, precisa estimular uma pequena região do tronco cerebral (base do cérebro) chamada *locus ceruleus*. Ela recebeu essa denominação esquisita porque os anatomistas da época acharam que tinha um aspecto de céu (*cerelus*) salpicado de estrelas; haja imaginação!

O *locus ceruleus* é o local onde residem as células cerebrais que produzem a noradrenalina, uma espécie de "irmã gêmea" (ou versão central) da adrenalina. O *locus ceruleus* libera noradrenalina por meio de vias nervosas diretas para a amígdala e para o hipocampo (ver figura a seguir).

Estruturas Cerebrais e Sistema Límbico

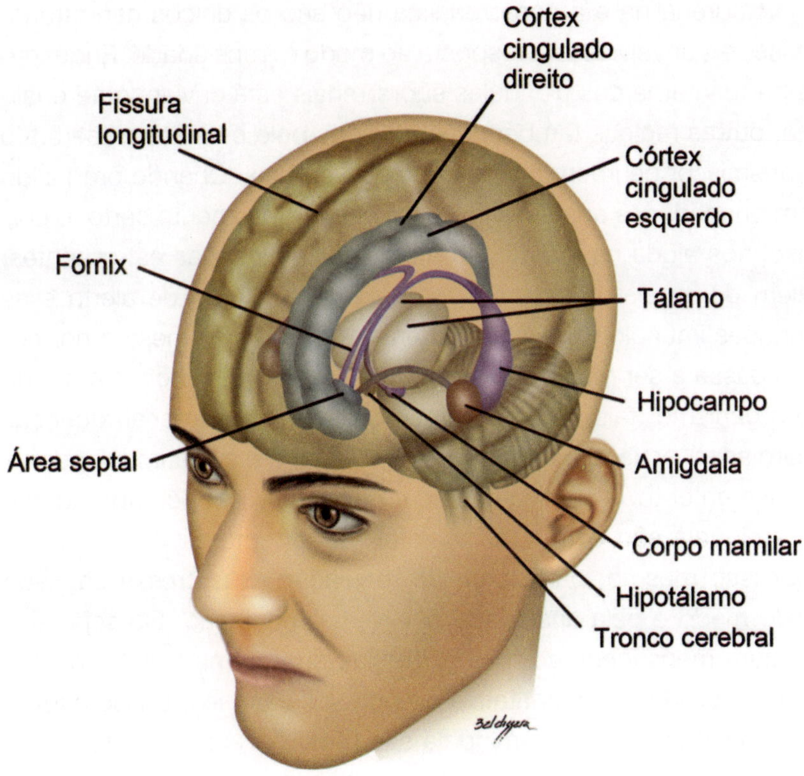

O sistema límbico é responsável por todas as emoções, desde as mais agradáveis, como alegria e paixão, até as mais incômodas, como tristeza, medo, desespero e ansiedade. Assim, o "corpo físico" e o "cérebro emocional" (sistema límbico) são coativados ao mesmo tempo para fugir ou lutar: o primeiro pela adrenalina e o segundo pela noradrenalina. Em termos de medo e ansiedade, o que "o corpo sofre a mente sente".

A adrenalina e a noradrenalina não são os únicos neurotransmissores envolvidos na resposta ao medo e à ansiedade. Enquanto a parte interna das glândulas suprarrenais está enviando adrenalina, outras regiões também são ativadas pelo estresse e liberam o transmissor neuroendócrino chamado cortisol. Quando produzido em quantidades adequadas e secretado no momento certo, o cortisol nos ajuda na adaptação às diversas situações estressantes, além de regular o ciclo do sono-vigília, o estado de alerta e as funções imunológicas. Quando em excesso, esse mesmo hormônio passa a ser responsável por uma série de disfunções em todo o organismo, tais como o aumento da pressão arterial, doenças cardíacas, enxaquecas, déficits de memória e baixa imunidade.

No entanto, é preciso destacar que tanto o hipocampo quanto a amígdala são estruturas repletas de receptores de cortisol e, por isso mesmo, participam da regulação do estresse causado pelo medo e pela ansiedade por retroalimentação. Ou seja, eles trocam mensagens com as glândulas suprarrenais, influindo assim na produção quantitativa do cortisol. Por isso, posso afirmar que o hipocampo e a amígdala são regiões cerebrais adjacentes e complementares, mas que desempenham papéis diferentes nos mecanismos da ansiedade, do medo e do estresse.

Considerada a "via rápida" do sistema límbico, a amígdala nos faz reagir de forma instintiva, sem pensar. O hipocampo, embora também seja uma região relativamente "primitiva" (antiga), é um pouco mais sofisticado e pode ser considerado a "via lenta" do sistema límbico, já que é responsável por associar contextos (situações diversas entre si), perceber estímulos e recuperar a memória. É ele que nos "dá consciência" de quando queremos lembrar acontecimentos passados de forma intencional. Enquanto a amígdala estimula a liberação de cortisol, o hipocampo a inibe.

Segundo o neurofiologista Bruce McEwen, da Universidade Rockefeller, em Nova York, a amígdala é relativamente "forte" e não parece sofrer lesão decorrente do acúmulo de cortisol em condições de estresse crônico. Já o hipocampo é mais sensível e vulnerável. McEwen mostrou que o estresse prolongado faz com que os neurônios dessa região percam dendritos (segmentos que fazem um neurônio se comunicar com outro) e acabem "encolhendo". Tais lesões foram confirmadas tanto por meio de estudos em animais, quanto por ressonância magnética funcional (RMf) no cérebro humano.

Essas observações são muito importantes para a compreensão das inter-relações de memória, estresse e ansiedade. Com elas é possível chegar a algumas conclusões, mesmo que iniciais: a perda de células no hipocampo decorrentes do excesso de cortisol seria responsável pela dificuldade de memorizar coisas e fatos novos, em situações prolongadas de estresse e ansiedade. Assim, lembranças traumáticas se tornariam mais pronunciadas porque o hipocampo, responsável pela memória recente (fatos novos), é mais sensível aos efeitos do cortisol que a amígdala, envolvida na evocação das memórias mais antigas (fatos passados). Essa exacerbação das memórias antigas parece, portanto, ter estreita conexão com o condicionamento do medo em milhões de pessoas que sofrem de transtorno de ansiedade.

Pelo menos, em se tratando de ansiedade, cortisol, amígdala e hipocampo, vale a máxima "tristeza não tem fim, felicidade sim": o cortisol, liberado pelos quadros prolongados de ansiedade, cria um forte condicionamento negativo na amígdala e reforça a memorização consciente dos fatores estressantes no hipocampo ao reduzir a capacidade de este adquirir novas e melhores lembranças.

Um aspecto bastante curioso sobre os medicamentos usados para tratar os transtornos ansiosos é a existência de uma ampla variedade de opções, diferentes entre si, mas igualmente eficazes e proveitosas. O fato comum entre eles é que todos afetam os sistemas neuroquímicos do cérebro. Esse fato em si não é tão surpreendente; o que causa admiração realmente é o que tange à diversidade dos sistemas neuroquímicos.

As substâncias ansiolíticas mais antigas são os tranquilizantes benzodiazepínicos, que afetam o sistema inibitório GABA (ácido gama-aminobutírico) do cérebro. É muito provável que os benzodiazepínicos reduzam também os efeitos da atividade excessiva do sistema noradrenérgico, que surge no *locus ceruleus* (no tronco encefálico ou cerebral – fora do cérebro) e se projeta de forma difusa por todo o cérebro. A redução do input (entrada de estimulação) dessas regiões pode ter um efeito específico sobre a resposta de medo condicionado, produzida pela amígdala, ou sobre a evocação de memórias negativas conscientes no hipocampo. Assim, de forma alternativa, o GABA pode reduzir a ansiedade antecipatória por meio de efeitos diretos sobre a atividade noradrenérgica no córtex.

Os inibidores seletivos da recaptação da serotonina (ISRS) juntaram-se ao arsenal terapêutico contra a ansiedade nos últimos anos. Esses medicamentos têm como alvo o sistema da serotonina, aumentando a disponibilidade desse neurotransmissor nas sinapses cerebrais (região de comunicação entre os neurônios). Embora os ISRS sejam utilizados primariamente como antidepressivos, diversos estudos sugerem que, depois de várias semanas ou meses de tratamento, eles são capazes de bloquear a atividade noradrenérgica de forma direta e indireta. Pacientes tratados com essas medicações durante três meses apresentaram níveis reduzidos dos metabólitos da noradrenalina em seus exames de urina.

Em longo prazo, os ISRS parecem também diminuir indiretamente a produção de cortisol pelas suprarrenais, por meio da inibição, ao nível do hipotálamo, da liberação do hormônio corticotrófico (ACTH). Além disso, os neurônios serotoninérgicos também emitem projeções diretas para a amígdala, onde provavelmente bloqueiam os estímulos excitatórios do córtex sensorial e do tálamo. Esse parece ser o principal mecanismo por meio do qual reduzem a ansiedade.

FATORES GENÉTICOS

Os fatores genéticos parecem ter importância como fatores de risco para o desenvolvimento de transtornos de ansiedade. Estudos com gêmeos idênticos demonstraram que, se um deles for afetado, a probabilidade de que ambos sofram de transtorno de ansiedade está acima de 30%. Os gêmeos fraternos, os quais não possuem a mesma constituição genética, também correm mais risco de desenvolver um transtorno de ansiedade se um deles for acometido, embora a probabilidade seja menor que a dos gêmeos idênticos.

A agorafobia, um dos transtornos de ansiedade mais comuns, também parece mostrar uma predisposição familiar: enquanto 5% de toda a população sofre desse mal, a taxa de agorafobia em pessoas que têm um dos pais com o mesmo diagnóstico é de 15% a 25%.

PROGRAMAÇÃO FAMILIAR

Certos tipos de ambientes familiares parecem predispor as crianças para o desenvolvimento de transtornos de ansiedade, produzindo nelas sentimentos de insegurança, medo e dependência. Um desses cenários é criado por pais que são perfeccionistas e críticos, exigindo constantemente que o desempenho de seu filho atinja níveis insuperáveis. Uma criança nessa situação pode crescer com um sentimento sofrível de autoestima, ansiosa e receosa de aceitar riscos, por medo de fracassar.

Os pais que apresentam fobias, ou são supersticiosos, também podem criar filhos que sofram de ansiedade. Esses pais tendem a ensinar aos filhos que o mundo é um lugar assustador, repleto de perigos e riscos. Os pais que são abertamente dominadores e suprimem a capacidade de afirmação de uma criança, por meio de punições, podem engendrar ansiedade em seus filhos. Nesse ambiente, as crianças são punidas por falarem com franqueza e expressarem seus sentimentos sem rodeios. Essas crianças podem crescer receosas de tomar iniciativa ou mostrar suas verdadeiras convicções.

É importante destacar que nem todas as crianças que crescem em ambientes familiares estressantes desenvolvem transtornos de ansiedade. Muitas crescem em ambientes familiares muito difíceis, sem nunca terem apresentado um quadro de ansiedade excessiva. A probabilidade de desenvolverem um transtorno de ansiedade, quando criadas em famílias sumamente estressadas, é maior em crianças cuja reação de "luta ou fuga" é facilmente deflagrada por circunstâncias perturbadoras ou desconcertantes.

SITUAÇÕES DE TENSÃO EMOCIONAL

Longos períodos de tensão nervosa (violência doméstica, doenças crônicas na família, preocupações financeiras) a que as pessoas são submetidas podem comprometer sua capacidade para dominar o estresse com calma e equanimidade. Tensões emocionais incessantes e graves podem ocasionar desgaste do sistema nervoso e, com o tempo, fazer com que a pessoa fique excessivamente ansiosa ou estressada.

Um motivo de muito estresse num curto período de tempo também pode causar ansiedade. Isso é particularmente verdadeiro quando o agente estressante (morte de um cônjuge, perda repentina de um emprego, por exemplo) provoca significativas mudanças ou transtornos na vida. Até mesmo experiências positivas, como casar ou ter um bebê, causam ansiedade, pois lançam as pessoas em situações inteiramente novas, para as quais, muitas vezes, não estão devidamente preparadas.

CRENÇAS PESSOAIS

Muitas pessoas nutrem sistemas de crenças que reforçam os transtornos de ansiedade e geram um comportamento que mantém o estado ansioso. Incluem-se aí a sofrível imagem de si mesmas e a baixa avaliação das próprias capacidades e aptidões. As pessoas com transtornos de ansiedade, em sua maioria, são muito inseguras e se sentem desequipadas para enfrentar e mudar as questões relacionadas à ansiedade, a fim de realizar grandes transformações na sua vida.

Frequentemente as pessoas com transtornos de ansiedade nutrem uma visão negativa do mundo. Elas veem as situações da vida e os lugares como perigosos e ameaçadores, enquanto outras, que não sofrem desses transtornos, podem encarar as mesmas circunstâncias como inofensivas ou mesmo agradáveis. Elas reforçam constantemente o próprio transtorno ansioso por meio de um diálogo interno de caráter negativo e assustador. As pessoas costumam travar conversas consigo mesmas durante boa parte do dia, denominado *solilóquio*. Um solilóquio negativo pode ser um importante fator na perpetuação dos transtornos de ansiedade.

NEUROIMAGENS E TRANSTORNOS DE ANSIEDADE

A maioria das pesquisas sobre as bases biológicas do medo e da ansiedade foi realizada em animais de laboratório; do ponto de vista filogenético, tais bases parecem estar presentes em todas as espécies de vertebrados. Felizmente, nos últimos tempos, porém, as técnicas modernas de neuroimagem permitiram estudar o cérebro humano em sua estrutura física, medir o seu fluxo sanguíneo e o nível de atividade de diversas regiões, e mapear os circuitos do medo e da ansiedade in vivo.

Estudos feitos com tomografia por emissão de pósitrons (PET), em Iowa (Estados Unidos), mostraram como o cérebro saudável responde a estímulos capazes de provocar medo e ansiedade. Eles foram realizados da seguinte forma: um grupo de voluntários sadios observou um conjunto de fotografias padronizado, a uma velocidade de uma a cada dois segundos. As imagens retratavam cenas assustadoras, desagradáveis, que causariam ansiedade e repulsa na maioria das pessoas. Alguns exemplos são corpos humanos mutilados; uma criança subnutrida e esquálida, que tinha morrido de fome, e uma mosca pousando sobre uma ferida aberta. Outro grupo de voluntários observou fotos agradáveis, como as de um casal com expressão amorosa. Os pesquisadores compararam as respostas produzidas no cérebro de ambos os grupos.

Os resultados demonstraram que os estímulos desagradáveis que causam medo e ansiedade elevaram o fluxo sanguíneo em diversas áreas cerebrais, a maioria das quais são componentes das conhecidas vias do medo em animais. As regiões mais ativadas foram as que representam o "cérebro límbico"* mais clássico e primitivo: amígdala, hipocampo, tálamo, giros cingulados anterior e frontal inferior. Já as imagens agradáveis ativaram regiões cerebrais muito diferentes, quase todas localizadas no córtex cerebral – área responsável pelos processos de análise e reflexão e que é significativamente maior nos seres humanos em comparação com outras espécies. Isso indica que são necessárias as partes superiores do cérebro para reconhecermos as sensações positivas, como prazer, alegria e felicidade. Infelizmente, o medo e a

---

* Centro de todas as nossas emoções.

ansiedade parecem vir com mais facilidade, pois estão embutidos nas partes mais básicas, profundas e primitivas.

ANSIEDADE GERADA POR PROBLEMAS HORMONAIS

Muitos problemas de saúde relacionados com hormônios produzidos pelas glândulas endócrinas têm como principais sintomas a ansiedade e as oscilações do humor.

TENSÃO PRÉ-MENSTRUAL (TPM)

Na prática clínica observo que 90% das mulheres com TPM se queixam do aumento de ansiedade e irritabilidade, que se intensificam uma ou duas semanas antes da menstruação.

Além dos sintomas emocionais, a TPM apresenta numerosos sintomas físicos que envolvem quase todos os sistemas do corpo. Os que me chamam mais atenção são: enxaqueca, inchaço, sensibilidade nos seios, aumento de peso, acne e ânsia por doces.

A TPM não possui uma causa isolada, vários desequilíbrios hormonais e químicos podem deflagrar seus sintomas. Uma das possíveis causas é o desequilíbrio dos níveis de estrogênio e progesterona no corpo. Esses dois hormônios apresentam um acentuado aumento durante a segunda metade do ciclo menstrual. Quando adequadamente equilibrados, estrogênio e progesterona promovem emoções saudáveis e harmônicas. No entanto, sintomas de humor, relacionados à TPM, podem ocorrer se o equilíbrio entre esses hormônios não se estabelecer, pois eles exercem efeitos antagônicos sobre a bioquímica do cérebro. O estrogênio tem um efeito sedativo sobre o metabolismo cerebral. Assim, se há um predomínio do estrogênio, as mulheres tendem a se sentir ansiosas; se o predomínio for da progesterona, a tendência é se sentirem deprimidas.

O equilíbrio entre os dois hormônios depende do quanto o corpo produz e da eficiência com que são decompostos e eliminados. Os ovários são a fonte primária de produção desses hormônios. Já o fígado tem a responsabilidade maior de inativar o estrogênio, garantindo que seus níveis sanguíneos não se tornem muito elevados.

O estresse emocional e os hábitos nutricionais desempenham papéis significativos no funcionamento do sistema hormonal. Uma exagerada ingestão de gordura, álcool e açúcar submete o fígado a um esforço excessivo, pois compete a ele processar esses alimentos. Além disso, a falta de vitamina B reduz a capacidade de o fígado executar suas tarefas metabólicas. Em qualquer desses casos, o fígado não consegue decompor os hormônios de maneira eficaz e, como consequência, eles continuam circulando no sangue em níveis elevados, sem eliminação adequada. Assim, por excesso de estrogênio, a balança pende para o aumento da ansiedade.

Na TPM ocorrem também desequilíbrios químicos no metabolismo cerebral, que acabam produzindo sintomas de ansiedade e oscilações do humor. Uma dessas alterações é a queda dos níveis de endorfina beta nos cinco a dez dias que antecedem a menstruação. Como a endorfina beta possui um efeito de bem-estar físico e mental, a redução dos seus níveis causa sintomas de ansiedade e irritabilidade.

Outro fator cerebral responsável pelos sintomas de ansiedade relacionados à TPM se deve à redução dos níveis de serotonina durante esse período. A serotonina é um neurotransmissor que regula a qualidade do sono, o apetite e o bom humor. Níveis reduzidos de serotonina no cérebro podem causar má qualidade do sono, fadiga, ansiedade, irritabilidade e o desejo incontrolável de comer doces, queixas constantes de mulheres durante esse período.

É muito raro a TPM desaparecer espontaneamente, sem tratamento. Aquele velho papo "machista" de que "quando casar melhora" é besteira. A TPM costuma piorar com a idade, podendo exacerbar os desconfortos quanto mais próximo estiver da menopausa, entre os 45 e 50 anos.

Os desequilíbrios hormonais, químicos e nutricionais, agem juntos na produção dos sintomas da TPM. Além disso, as alterações podem diferir em qualidade e em quantidade de uma mulher para outra e, por conseguinte, não existe uma droga milagrosa para curar a TPM. Por outro lado, ela é tratável e, para isso, além de medicações individuais (como antidepressivos, tranquilizantes, diuréticos e hormônios), as mulheres devem participar ativamente de programas que promovam mudanças saudáveis no seu estilo de vida.

MENOPAUSA

A menopausa, ou seja, o término de todo o fluxo menstrual, ocorre, para a maioria das mulheres, entre os 48 e 52 anos de idade, quando elas passam por alterações hormonais. Ansiedade, oscilações de humor e fadiga acompanham, com frequência, esse processo.

Os sintomas emocionais da menopausa ocorrem, inicialmente, pelo desequilíbrio dos hormônios estrogênio e progesterona e, posteriormente, pelos níveis muito baixos deles. Os sintomas se agravam quando as mulheres estão sob forte estresse emocional ou possuem hábitos alimentares desfavoráveis, como a excessiva ingestão de cafeína, açúcar ou álcool. Incluem-se ainda o sedentarismo e o estilo de personalidade pouco flexível e dependente que algumas delas apresentam.

O tratamento da menopausa pode incluir a terapia de reposição hormonal, utilização de medicamentos antidepressivos, suplementos vitamínicos e de minerais. Técnicas de administração do estresse e atividades físicas regulares também podem ajudar bastante a restabelecer a energia e a vitalidade, e a estabilizar o humor.

HIPERTIREOIDISMO

Ocorre quando a glândula tireoide segrega uma quantidade excessiva de hormônio tireoidiano. Trata-se de um problema sério e potencialmente perigoso, se não for diagnosticado logo no início. Os sintomas podem simular os ataques de ansiedade, que incluem: ansiedade generalizada, insônia, cansaço ao menor esforço, pulso acelerado, suores, intolerância ao calor e aumento da atividade intestinal.

Um diagnóstico de hipertireoidismo pode ser precocemente feito por análises de sangue, que revelam a secreção excessiva de hormônios tireoidianos, assim como outras alterações do sangue.

O hipertireoidismo deve ser tratado imediatamente, a fim de reduzir a produção hormonal. Para o tratamento são utilizadas drogas que suprimem e até inativam a glândula tireoide e, em casos mais graves, é necessária a sua remoção cirúrgica.

HIPOGLICEMINA (BAIXA DE AÇÚCAR NO SANGUE)

A hipoglicemia ocorre quando os níveis de açúcar no sangue estão abaixo do normal. Nesse estado, as pessoas apresentam muitos sintomas semelhantes aos de acessos de ansiedade, incluindo irritabilidade, tremores, desorientação, aturdimento, espaçamento anormal na fala e até palpitações.

O gatilho alimentar para os episódios hipoglicêmicos é a ingestão excessiva de açúcar simples, como o açúcar branco, mel, produtos com farinha branca e doces como tortas, bolos, sonhos e balas. Quando uma quantidade de açúcar é despejada na circulação sanguínea, a insulina é segregada em doses muito altas. Isso pode ocasionar, realmente, uma queda da taxa de açúcar no sangue a níveis em que ocorrem os típicos sintomas de ansiedade da hipoglicemia. É importante destacar que as quedas no nível de açúcar no sangue também podem ocorrer simplesmente em resposta aos níveis muito elevados de estresse, isso porque o corpo utiliza glicose extra durante esses períodos.

As pessoas que mantêm uma dieta rica em açúcar simples sentem, com frequência, como se estivessem em uma montanha-russa emocional: de um lado alternam-se entre os altos e baixos de ansiedade e irritabilidade, e, de outro, de fadiga e depressão. Tudo ao sabor das flutuações dos níveis de açúcar no sangue.

Uma dieta à base de carboidratos complexos (cereais integrais, frutas, verduras etc.), combinados com proteínas de alta qualidade como nozes, amêndoas, sementes e peixes, promove uma lenta absorção da glicose para o sangue, evitando, assim, uma produção excessiva de insulina. Desta maneira, o nível de açúcar no sangue e as emoções mantêm-se estáveis e equilibrados.

ANSIEDADE E DESEQUILÍBRIO IMUNOLÓGICO

Alterações no sistema imunológico (sistema de defesa do organismo) podem causar uma variedade de sintomas psicológicos e físicos.

As alergias são um bom exemplo disso. Quando elas ocorrem, é porque o sistema imunológico reagiu de forma excessiva a substâncias inofensivas. As substâncias que mais provocam alergias são: pólen, mofo e alimentos. As reações alérgicas são facilmente diagnosticadas porque os sintomas ocorrem imediatamente depois do contato com o alergênio (substância que provocou a alergia). Os sintomas imediatos são respiração ruidosa e ofegante, comichão, olhos lacrimejantes, congestão nasal e urticária. Algumas reações alérgicas são demoradas e podem ocorrer horas ou dias após a exposição ao alergênio. Os sintomas retardados incluem ansiedade, depressão, fadiga, vertigem, enxaqueca, dores musculares e nas articulações e eczema.

O tratamento para alergias – tanto as alimentares como as de outros tipos – inclui, usualmente, a supressão da substância nociva, se possível, ou o uso, por prescrição médica, de aplicações dessensibilizantes. Administrar o estresse também pode ajudar a tratar e impedir as alergias.

ANSIEDADE E DISTÚRBIOS DO SISTEMA CARDIOVASCULAR

O prolapso da válvula mitral é uma enfermidade cardíaca que pode causar episódios de palpitações, dores no peito, respiração ofegante e fadiga, semelhantes ao estado de ansiedade. Parece estar presente com maior frequência em pessoas com episódios de ansiedade e pânico do que na população geral. É causado por um defeito moderado na válvula mitral, localizada entre a cavidade superior e a inferior do lado esquerdo do coração. Tal defeito faz com que esta válvula não se feche adequadamente e, por consequência, o coração é colocado sob tensão, podendo pulsar depressa demais ou irregularmente.

Na maioria absoluta dos casos, o prolapso da válvula mitral é leve, não necessitando de tratamento específico. Nos casos mais graves, os batimentos cardíacos podem ser moderados pelo uso de betabloqueadores, que são medicamentos que diminuem as pulsações e a contratilidade do coração. O estresse excessivo e os estimulantes (como bebidas à base de cafeína) devem ser eliminados a fim de se evitarem os episódios de taquicardia. Uma dieta rica em cálcio, magnésio e potássio (ou a utilização de suplementos) também se faz necessária, uma vez que esses minerais essenciais ajudam a regular e reduzir a irritabilidade cardíaca.

Sentir ansiedade é, sem dúvida, uma condição humana inerente a todos. No entanto, evitar adoecer por excesso dela é uma escolha que cada um pode fazer.

Quando se compreendem as causas da ansiedade, percebe-se que, no seu processo de adoecimento, inúmeros fatores se interligam em um intrincado jogo de probabilidades e/ou possibilidades, em que no final todos perdem algo. Não se tem o poder de mudar a genética de alguém, ou mesmo a reação "primitiva" de medo e ansiedade. Mas é possível mudar a maneira de viver, de se relacionar, de se cuidar e de ser feliz.

O conhecimento fornecido neste capítulo não visa oferecer justificativas para os estados de ansiedade patológicos, mas, sim, criar condições de transcendê-los, com plena consciência das dificuldades e com a certeza de que a força do querer pode fazer toda a diferença entre sentir ansiedade, eventualmente, ou viver e adoecer com ela.

Quem espera que a vida
Seja feita de ilusão
Pode até ficar maluco
Ou morrer na solidão
É preciso ter cuidado
Pra mais tarde não sofrer
É preciso saber viver
Toda pedra do caminho
Você pode retirar
Numa flor que tem espinhos
Você pode se arranhar
Se o bem e o mal existem
Você pode escolher
É preciso saber viver

ROBERTO CARLOS E ERASMO CARLOS — É preciso saber viver

CAPÍTULO 10

É PRECISO SABER VIVER

O relato de Bianca, advogada bem-sucedida de 34 anos, está repleto de refrões muito familiares a todos nós. São os refrões dos cidadãos do século XXI.

Não vou dar conta de tanto trabalho. Preciso de férias! Férias de tudo: trabalho, filhos, pais, amigos, tudo mesmo! Estou saturada. Tenho que admitir: não é possível lidar com tudo isso. Preciso de chance para relaxar, parar o jogo, zerar a vida. Mas como, se nunca tenho tempo? Minha vida está escorrendo entre meus dedos, uma vida fluida sobre a qual não tenho o menor controle! Queria gritar, espernear, chorar, socar, sumir... Pra onde? Quando? E depois? Definitivamente estou superestressada!

A maioria das pessoas se pergunta o que aconteceu com suas projeções futuristas de um século XXI repleto de tecnologia, com menos trabalho, mais prazer, mais igualdade, mais conforto, com carros voadores, robôs realizando todo o trabalho braçal, cheio de muita paz e felicidade. Com certa perplexidade, vamos tocando nossas vidas sem compreendermos muito bem o porquê de tanta expectativa frustrada. Mas não podemos parar: sempre em frente, afinal não temos tempo a perder!

Até que um dia, sem qualquer intenção específica, entramos no cinema para ver um filme qualquer, somente para arejar a cabeça. O filme se passa no início do século XX, lá pelos idos de 1920. A história revela o cotidiano de uma família comum de classe média, destacando as ideias e as percepções daquela época. Ao final do filme, um sentimento dúbio, de pesar e alegria, nos faz refletir.

Quando olhamos para o mundo de cem anos atrás e vemos uma espécie de inocência e simplicidade, uma onda de nostalgia nos invade a alma. Andar a cavalo ou de charrete, comunicar-se por cartas escritas à mão, participar de saraus, realizar refeições em família, tomar a fresca ao entardecer, não ter excesso de informação o tempo todo... Convenhamos, aquela vida tinha lá o seu charme! Será que trocaríamos o que tínhamos naquela época pelo que temos hoje? Talvez sim, talvez não, tudo depende do quanto valorizamos as "conveniências modernas" em contraposição à complexidade, à confusão e às pressões da vida atual.

Passadas algumas horas do término do filme, começamos a voltar à realidade e sentenciamos: temos de seguir em frente, pois, de qualquer modo, o tempo não volta e não temos escolha nesse sentido. O século XXI já aconteceu! Ele é a nossa realidade e, gostemos ou não dessa ideia, não há como voltar atrás.

Tudo é um estranho paradoxo. Quanto mais temos coisas à nossa disposição, para facilitar nossas vidas e a nossa rotina, tudo parece ficar cada vez mais difícil. Temos tantos aparelhos para economizar trabalho — máquinas de lavar roupas e louças, fogões a gás e elétricos, aspiradores de pó, micro-ondas, espremedores de frutas, cafeteiras elétricas —, uma variedade interminável de aparelhos domésticos. Temos fast-food no momento desejado, via tele-entrega, o *pizzafone*, o supermercado via internet, o *bankfone*.

Temos telefones em casa, celulares nas ruas: tudo para que possamos estar em constante contato. Temos carros (e, muitas vezes, vários carros), aviões e metrôs. Temos televisão de todos os tipos e tamanhos, internet em altíssima velocidade, CDs, DVDs, *Blu-ray, iPods* e MP3. Temos computadores em nosso escritório, em nossas casas, em nossas pastas e *tablets* em nossas mãos. Em suma: temos muito!

Dispomos de equipamentos cada vez mais rápidos, muito mais velozes que a capacidade de o nosso cérebro processar tanta informação. Dentro desse rodamoinho, da competitividade, da pressa, das exigências, do consumismo sem freio e das inovações constantes da sociedade contemporânea, muitos de nós somos tomados pelos sentimentos de medo e ansiedade tão intensos que cruzam as fronteiras entre o saudável e o patológico.

Os *transtornos de ansiedade* são, de certa forma, os reflexos dos nossos dias; esses dias inacabáveis, que nos fazem pensar que alguma coisa está totalmente fora da ordem. E está mesmo! Em todos os transtornos de ansiedade, uma resposta que era para ser normal e adaptativa se transforma em um monstro dentro de nós. O monstro é a "ansiedade patológica", que nos causa sintomas como tensão e medo, que são indesejáveis, excessivos e inadequados para a situação em que nos encontramos. Ela surge e nos ataca quando não queremos ou quando não faz nenhum sentido. A nossa capacidade de sentir ansiedade e medo é uma benção que pode se tornar uma maldição. É o feitiço contra o feiticeiro.

A ansiedade e o medo são respostas emocionais que estão cravadas em nosso DNA para nos ajudar a sobreviver, desde que existimos como espécie humana. Se nosso cérebro estiver em boas condições de funcionamento, e a ansiedade exatamente no nível certo, ele poderá atingir o máximo de empenho em diversos desafios, nos mais variados setores de nossas vidas. Se, por outro lado, o nosso cérebro ficar ansioso demais e entrar em pânico em momentos decisivos, nós estaremos com problemas.

O truque é encontrar o nível certo de ansiedade, para que tenhamos uma boa performance diante dos obstáculos e contratempos que a vida nos apresenta. Não é saudável, nem tampouco recomendável, termos níveis de ansiedade altos ou baixos demais. É claro que graduá-los para que possamos dar conta de todos os afazeres modernos, sem que tenhamos de adoecer com isso, é um desafio e tanto! Talvez o maior de todos, desses nossos tempos tão estressados. Para tanto, necessitamos do mais valioso bem que uma pessoa pode possuir: o conhecimento. O autoconhecimento nos traz o saber, e este, o poder de nos transformarmos em pessoas melhores e mais felizes.

Do ponto de vista tipicamente psicológico, o homem moderno não é muito diferente de seus remotos antepassados. Nossas estruturas neurobiológicas ainda são as mesmas: assim que detectam sinais de ameaça ou perigo – através de nossa forma de avaliar cognitivamente (conscientemente) as situações –, reações neuroendócrinas são disparadas em frações de segundos, predispondo o organismo a enfrentar o perigo real ou imaginário, mas do mesmo modo temido. Dessa forma, o medo e a ansiedade nos tornam aptos à ação, estimulando cautela em nossas escolhas e comportamento. Fazem-nos vibrar e nos mantêm vivos.

Considerando que viver é se deparar o tempo todo com um incalculável número de novidades, riscos, acertos e erros, podemos concluir que, se quisermos realmente mudar nossas vidas, teremos de descobrir um jeito de estabelecer uma relação amigável com esses sentimentos. Caso contrário, só nos restará a resignação de viver um estilo de vida ansioso, conflitivo e adoecedor. Afinal de contas, pelo menos em matéria da reação do medo, e parodiando o cantor e compositor Belchior, "ainda somos os mesmos e vivemos como nossos ancestrais!"

Mesmo com todos os avanços terapêuticos conquistados pelas neurociências nos últimos anos, seja no aspecto medicamentoso, seja na abordagem cognitivo-comportamental da psicologia, ainda temos de lidar com a certeza de que viver é um significativo caminho terapêutico, que nos confronta com o medo e nos impele na direção do autoconhecimento e do amadurecimento.

O preço a pagar para se viver uma vida que valha a pena é alto, muito alto, mas precisamos e devemos pagar. Pensando bem, as coisas que são realmente importantes na vida geralmente nos pegam desprevenidos em uma terça-feira cinzenta qualquer. Assim, é necessário transformar as experiências de medo e de ansiedade em algo frutífero, que nos ajude a revelar novas versões da vida, a partir da compreensão de nossas próprias identidades, num processo simultâneo de reestruturação e construção.

É o exercício mágico e transcendente de se reinventar a cada supetão de sofrimento.

BIBLIOGRAFIA

Abreu, Cristiano Nabuco de *et al*. *Síndromes Psiquiátricas: diagnóstico e entrevista para profissionais de saúde mental*. Porto Alegre: Artmed, 2006.

American Psychiatric Association. *Diagnostic and Statistical Manual of Mental Disorders,* 4. ed., Text Revision. Washington, DC: American Psychiatric Association, 2000.

________. *DSM-IV. Manual Diagnóstico e Estatístico de Transtornos Mentais*. Trad. Dayse Batista, 4. ed. Porto Alegre: Artmed, 1995.

________. *DSM-IV-TR. Manual Diagnóstico e Estatístico de Transtornos Mentais.* Trad. Dornelles, C. 4. ed. rev. Porto Alegre: Artmed, 2002.

Andreasen, N. C. Post-traumatic stress disorder. In: *Comprehensive Texbook of Psychiatry IV* (ed. by Freedman, Kaplan, Sadock). Baltimore: Williams and Wilkins, v. 1, p. 918-924, 1984.

________. *The Broken Brain: The Biological Revolution in Psychiatry*. New York: Harper and Row, 1984.

Arantes, Maria Auxiliadora de Almeida e Vieira, Maria José Fermenias. *Estresse*. São Paulo: Casa do Psicólogo, 2002.

Asbahn, F.; Ito, I.; Moritz, K.; Rangè, B. P. Transtorno Obsessivo-Compulsivo. In: Rangè, B. (org.). *Psicoterapias Cognitivo-Comportamentais: Um diálogo com a psiquiatria*. Porto Alegre: Artmed, 2001.

Baxter, L. R. *et al*. "Caudate glucose metabolic rate changes with both drug and behavior therapy for obsessive-compulsive disorder": *Archives of General Psychiatry*, v. 49, p. 681-89, 1992.

Beck, J. S. *Terapia Cognitiva: Teoria e Prática*. Porto Alegre: Artmed, 1997.

Besset, Vera Lopes (org.). *Angústia*. São Paulo: Escuta, 2002.

Blanchard, D. C.; Blanchard, R. J. "Ethoexperimental approaches to the biology of emotion". *Annual Reviews of Psychology*, v. 39, p. 43-68, 1988.

Bolles, R. C.; Fanselow, M. S. "A perceptual defensive-recuperative model of fear and pain". *Behavioral. Brain Research,* v. 291-323, 1980.

Brawman, M. O.; Lydiard, R. B.; Emmanuel N. *et al*: "Psychiatric comorbidity in patients with generalized anxiety disorder". *American Journal of Psychiatry,* 150:1216-1218, 1993.

Bremner, J. D.; Marmar, C. R. *Trauma, Memory, and Dissociation*. Washington, DC: American Psychiatric Press, 1998.

Breslau, N.; Davis G. C.; "Posttraumatic stress disorder in an urban population of young adults: risk factors for chronicity". *American Journal of Psychiatry,* 149:671-675, 1992.

Breslau, N.; Kessler R. C.; Chilcoat, H. D. *et al.*: "Trauma and posttraumatic stress disorder in the community: the 1996 Detroit Area Survey of Trauma". *Archives of General Psychiatry*, 55:626-632, 1998.

Brown, T.; O'Leary, T. A.; Barlow, D. H. Transtorno de Ansiedade Generalizada. In: Barlow, D. H. (org.). *Manual Clínico dos Transtornos Psicológicos*. 2. ed. Porto Alegre: Artmed, 1999.

Bruce, M. "Anxiogenic effects of caffeine in patients with anxiety disorders". *Archives of General Psychiatry*, 1992; 49:967-69.

Bruce, M.; Lader, M. "Caffeine abstention in patients with anxiety disorders". *Psychological Medicine*, 1989; 19:211-14.

Butler, G. "Distúrbios Fóbicos". In: Hawton, K. *et al. Terapia Cognitivo-Comportamental para Problemas Psiquiátricos: Um Guia Prático.* São Paulo: Martins Fontes, 1997.

Caminha, R. M. "Transtorno de estresse pós-traumático". In: Knapp, P. (colaboradores). *Terapia Cognitivo-Comportamental na prática psiquiátrica.* Porto Alegre: Artmed, 2004.

Chambless, D. L.; Gillis, M. M. "Cognitive Therapy of Anxiety Disorders". *Journal of Consulting and Clinical Psychology*, v. 61, n. 2, p. 248-260, 1993.

Chou, Tony. "Wake up and smell the coffee: caffeine, coffee and the medical consequences". *The Western Journal of Medicine*, 1992; 157(5):544-53.

Clark, M. D. "Estados de Ansiedade: Pânico e Ansiedade Generalizada." In*:* Hawton, K. *et al. Terapia Cognitivo-Comportamental para Problemas Psiquátricos: Um Guia Prático.* São Paulo: Martins Fontes, 1997.

Cordioli, A. V. "Transtorno Obsessivo-compulsivo." In*:* Knapp, P. (colaboradores). *Terapia Cognitivo-Comportamental na prática psiquiátrica.* Porto Alegre: Artmed, 2004.

Costa, M. R.; Lanna, A. "Fobias específicas." In: Rangè, B. (org.). *Psicoterapias Cognitivo-Comportamentais: Um diálogo com a psiquiatria*. Porto Alegre: Artmed, 2001.

Cruz, A. P. M.; Zangrossi Jr., H.; Graeff, F. G. Psicobiologia da Ansiedade. In: Rangè, B. (org.). *Psicoterapia Comportamental e Cognitiva: Pesquisas, Prática, Aplicações e Problemas*. Campinas: Editorial Psy, 1998.

Dalton, K. "Diet of women with severe premenstrual syndrome and the effect of changing to a three-hourly starch diet". *Stress Medicine*, 1992; 8:544-53.

Darwin, C. *A expressão das emoções no homem e nos amimais*. São Paulo: Companhia das Letras, 2000.

Davidson, J. R.; Hughes, D. L.; George L. K. *et al.:* "The epidemiology of social phobia: findings from the Duke Epidemiological Catchment Area Study". *Psychological Medicine,* 1993; 23:709-718.

Dawkins, R. *The Selfish Gene*. 2. ed. New York: Oxford University Press, 1989.

DeWit, D. J.; Ogborne, A.; Offord, D. R. *et al.*: "Antecedents of the risk of recovery from DSM-III-R social phobia". *Psychological Medicine,* 1999; 29:569-582.

Falcone, A. "Fobia Social". In*:* Rangè, B. (org.). *Psicoterapia comportamental e cognitiva de transtornos psiquiátricos*. Campinas: Editorial Psy, 1995.

Falcone, A.; Figueira, I. "Transtorno de ansiedade social". In*:* Rangè, B. (org.). *Psicoterapia comportamental e cognitiva de transtornos psiquiátricos*. Campinas: Editorial Psy, 1995.

Fanselow, M. S. "The midbrain periaqueductal gray as coordinator of action in response to fear and anxiety". In: Depoulis, A.; Blander, R. (ed.). *The midbrain periaqueductal gray matter: functional, anatomical and immunohistochemical organization.* New York: Plenum, 19991, p.151-73.

Flint, A. J. "Epidemiology and comorbidy of anxiety disorders in the elderly". *American Journal of Psychiatry,* 151:640-649, 1994.

Fontana, Antônio Matos. *Manual de Clínica em Psiquiatria*. São Paulo: Atheneu, 2005.

Freund, G. "Benzodiazepine receptor loss in brains o mice after chronic alcohol consumption". *Life Sciences*, 1980; 27(11):987-92.

Gorman, J. M.; Kent, J. M.; Sullivan, G. M.; Colplan, J. D. "Neuroanatomical hypothesis of panic disorder, revised". *American Journal of Psychiatry*, 157:493-505, 2000.

Graeff, F. G. "Medicamentos ansiolíticos". In: Graeff, F. G.; Guimarães, F. S. (ed.). *Fundamentos de psicofarmacologia*. São Paulo: Atheneu, 1999. p. 123-60.

Graeff, F. G.; Guimarães, F. S.; Deakin, J. F. W. "Serotonina, a molécula da ansiedade e da depressão". *Ciência Hoje*, v. 16, p. 50-8, 1993.

Graeff, F. G.; Tomaz, C. "Emotion and memory". *Behavioral Brain Research*, v. 58, 1993.

Graeff, F. G. "Imagens da ansiedade". *Ciência Hoje*, v. 9, p. 13, 1989.

Gray, J. A. *The neuropsychology of anxiety*. New York: Oxford University, 1982.

Gray, J. A.; McNaughton, N. *The neuropsychology of anxiety*. 2ª ed. Oxford: Oxford University, 2000.

Greenberger, D.; Padesky, C. A. *A Mente Vencendo o Humor.* Porto Alegre: Artmed, 1999.

Guimarães, F.; Rangè, B. "Fobias específicas". In: Rangé, B. (org.). *Psicoterapia comportamental e cognitiva de transtornos psiquiátricos*. Campinas, SP: Editorial Psy, 1995.

Heldt, E.; Manfro, G. G.; Shinorara, H. "Transtorno do Pânico". In: Knapp, P (colab.). *Terapia Cognitivo-Comportamental na prática psiquiátrica.* Porto Alegre: Artmed, 2004.

Hoehn-Saric, R.; Hazlett R. L.; McLeod, D. R. "Generalized anxiety disorder with early and late onset of anxiety symptoms". *Compr. Psychiatry,* Holander, Eric; Simeon, Daphne. *Transtornos de Ansiedade*. Porto Alegre: Artmed, 2004.

Hollander, E.; Bienstock, C.; Pallanti, S., *et al.*: "Refractory obsessive-compulsive disorder: state of-the-art treatment". *Journal of Clinical Psychiatry*, 63 (suppl. 6):20-29, 2002.

Johnson, J.; Weissman, M. M.; Klerman G. L. "Panic disorder, comorbidity, and suicide attempts". *Archives of General Psychiatry,* 47:805-808, 1990.

Kapczinsk, F.; Margis, R. Transtorno de ansiedade generalizada. In: Knapp, P. (colab.). *Terapia Cognitivo-Comportamental na prática psiquiátrica.* Porto Alegre: Artmed, 2004.

Katsching, H.; Amering, M.; Stolk, J. M. *et al.*: "Long-term followup after a drug trial for panic disorder". *British Journal of Psychiatry,* 167:487-494, 1995.

Kessler, R. C.; Sonnega, A.; Bromet, E. *et al.*: "Posttraumatic stress disorder in the National Comorbidity Survey". *Archives of General Psychiatry,* 52:1048-1060, 1995.

King, D. S. "Can allergic exposure provoke psychological symptoms? A double-blind test". *Biological Psychiatry*, 1981; 16(1):3-19.

Kitcher, P. *The Lives to Come: The Genetic Revolution and Human Possibilities*. New York: Simon and Schuster, 1996.

LeDoux, J. *O cérebro emocional: os misteriosos alicerces da vida emocional*. Rio de Janeiro: Objetiva, 1998.

________. *The Emotional Brain*. New York: Simon and Schuster, 1996.

Leonard, B. E.; Miller, K. *Stress, the Immune System and Psychiatry*. Chichester, Reino Unido: John Wiley and Sons, 1995.

Lepine, J. P.; Chignon, J. M.; Teherani, M. "Suicide attempts in patients with panic disorder". *Archives of General Psychiatry*, 50:144-149, 1993.

Lesourd, Serge. *A construção adolescente no laço social*. Petrópolis: Vozes, 2004.

Lipp, Marilda E. N. (org.). *Mecanismos neuropsicofisiológicos do stress: teoria e aplicações clínicas*. São Paulo: Casa do Psicólogo, 2003.

Lipsitz, J. D.; Markowitz, J. C.; Cherry, S. *et al.*: "Open trial of interpersonal psychotherapy for the treatment of social phobia". *American Journal of Psychiatry,* 156:1814-1816, 1999.

Lyon, J.; Gorner, P. *Altered Fates: Gene Therapy and the Retooling of Human Life*. New York: WW Norton, 1995.

Mari, Jair de Jesus. *et al.*: *Guia de Psiquiatria*. São Paulo: Manole, 2002.

Masci, C.; Rangè, B. "Transtorno de estresse pós-traumático". In: Rangè, B. (org.). *Psicoterapias Cognitivo-Comportamentais: Um diálogo com a psiquiatria*. Porto Alegre: Artmed, 2001.

Mataix-Cols, D.; Rauch, S. L.; Manzo, P. A. *et al.*: "Use of factoranalyzed symptom dimensions to predict outcome with serotonin reuptake inhibitors and placebo in the treatment of obsessive--compulsive disorder". *American Journal of Psychiatry,* 156:1409-1416, 1999.

May, Rolle. *O homem à procura de si mesmo*. Petrópolis: Vozes, 2002.

Mazure, C. M. *Does Stress Cause Psychiatric Illness?* Washington, DC: American Psychiatric Press, 1995.

McEwen, B. S.; Gould, E.A.; Sakai, R. R. "The vulnerability of the hippocampus to protective and destructive effects of glucocorticoids in relation to stress". *British Journal of Psychiatry*, 160: 18-24, 1992.

McGuire, M. T.; Troisi, A. *Psichiatria darwiniana*. Roma: Giovanni Fioriti, 2003.

Medina, J. H.; Paladini, A. C.; Izquierdo, I. "Naturally occurring benzodiazepines and benzodiazepine-like molecules in brain". *Behavioral Brain Reserch*, v. 58, p. 1-8, 1993.

Neto, Tito Paes de Barros. *Sem medo de ter medo: um guia prático para ajudar pessoas com pânico, obsessões, compulsões e estresse*. São Paulo: Casa do Psicólogo, 2002.

Noyes, R. Jr.; Clancy, J.; Woodman, C. *et al.*: "Environmental factors related to the outcome of panic disorder. A seven-year follow-up study". *Journal of Nervous and Mental Disorders,* 181:529-538, 1993.

O'Rourke, D.; Fahy T. J.; Brophy, J. *et al.*: "The Galway study of panic disorder. III. Outcome at 5 to 6 years". *British Journal of Psychiatry,* 168:462-469, 1996.

Pereira, A. L. S. *Construção de um Protocolo de Tratamento para o Transtorno de Ansiedade Generalizada.* 2005 – Tese de mestrado. UFRJ – Rio de Janeiro.

Pinel, John P. J. *Biopsicologia.* Porto Alegre: Artmed, 2005.

Pratt, J. A. "The neuroanatomical basics of anxiety". *Pharmacological Therapy,* v. 55, p. 149-81, 1992.

Rangè, B. P. (org). *Terapia Cognitivo-Comportamental: um Diálogo com a Psiquiatria*. Porto Alegre: Artmed, 2001.

________. (org.). *Psicoterapia comportamental e cognitiva de transtornos psiquiátricos*. Campinas, SP: Editorial Psy, 1995.

________. (org.). *Psicoterapia comportamental e cognitiva: pesquisa, prática, aplicações e problemas*. Campinas, SP: Editorial Psy, 1995.

Rangè, B. P.; Bernik, M. A. "Transtornos do Pânico e Agorafobia". In: Rangè, B. (org.). *Psicoterapias Cognitivo-Comportamentais: Um diálogo com a psiquiatria*. Porto Alegre: Artmed, 2001.

Raskin, M.; Peeke, H. V. S.; Dickman, W. *et al.*: "Panic and generalized anxiety disorders: developmental antecedents and precipitants". *Archives of General Psychiatry,* 39:687-689, 1982.

Ratey, J. J. *O cérebro: um guia para o usuário*. Rio de Janeiro: Objetiva, 2002.

Salkovskis, Kirk J. Distúrbios Obsessivos. In*:* Hawton, K. *et al.: Terapia Cognitivo-Comportamental para Problemas Psiquátricos: Um Guia Prático.* São Paulo: Martins Fontes, 1997.

Sapolsky, R. M. "Why stress is bad for your brain". *Science*, v. 273, p. 749-50, 1996.

Sartre, Jean-Paul. *A náusea*. Rio de Janeiro: Nova Fronteira, 1996.

________. *O Ser e o Nada*. Petrópolis: Vozes, 2000.

Schneier F. R.; Heckelman L. R.; Garfinkel, R. *et al.*: "Functional impairment in social phobia". *Journal of Clinical Psychiatry,* 55:322-331, 1994.

Scrignar, C. B. *Post-Traumatic Stress Disorder: Diagnosis, Treatment, and Legal Issues*. New York, Praeger, 1984.

Servan-Shrelker, David. *Curar o stress, a depressão e a ansiedade*. São Paulo: Sá, 2004.

Shinohara, H.; Nardi, A. E. Transtorno de Ansiedade Generalizada. In: Rangè, B. (org.). *Psicoterapias Cognitivo-Comportamentais: Um diálogo com a psiquiatria*. Porto Alegre: Artmed, 2001.

Silva, Ana Beatriz Barbosa. *Bullying: mentes perigosas nas escolas*. Rio de Janeiro: Objetiva, 2010.

________. *Mentes e manias: TOC: transtorno obsessivo-compulsivo*. Rio de Janeiro: Objetiva, 2011.

________. *Mentes inquietas: TDAH: desatenção, hiperatividade e impulsividade*. Rio de Janeiro: Objetiva, 2009.

________. *Mentes insaciáveis: anorexia, bulimia e compulsão alimentar*. Rio de Janeiro: Ediouro, 2005.

________. *Mentes perigosas: o psicopata mora ao lado*. Rio de Janeiro: Objetiva, 2008.

Sober, E.; Wilson, D. S. *Unto Others: The Evolution and Psychology of Unselfish Behavior*. Cambridge, Mass: Harvard University Press, 1998.

Stein, M. B.; Kean, Y. M. "Disability and quality social phobia: epidemiologic findings". *American Journal of Psychiatry,* 157:1606-1613, 2000.

Ursano, R. J.; McMaughey, B. G.; Fullerton, C. S. *Individual and Community Response to Trauma and Disaster.* Cambridge, UK: Cambridge University Press, 1994.

Wielenska, R. C.; Araújo, I. A. B.; Bernik, M. A. "Transtornos obsessivo-compulsivos". In: Rangè, B. (org.). *Psicoterapia comportamental e cognitiva de transtornos psiquiátricos*. Campinas: Editorial Psy, 1995.

Wittchen, H. U.; Carter, R. M.; Pfister, H. *et al.*: "Disabilities and quality of life in pure and comorbid generalized anxiety disorder and major depression in a national survey". *International Clinical Psychopharmacol,* 15:319-328, 2000.

Wittchen, H. U.; Zhao, S.; Kessler, R. C. *et al.*: "DSM-III-R generalized anxiety disorder in the National Comorbidy Survey". *Archives of General Psychiatry,* 51:355-364, 1994.

Woodman, C. L.; Noyes, R.; Black D. W. *et al.*: "A 5-year follow-up study of generalized anxiety disorder and panic disorder". *Journal of Nervous and Mental Disorders,* 187:3-9, 1999.

Yehuda, R. "Neuroendocrinology of trauma and PTSD". In: Yehuda, R. (Ed.). *Psychological trauma*. Washington: American Psychiatric Press, 1998, p. 97-132.

Zlotnick, C.; Warshaw, M.; Shea, M. T. *et al.*: "Chronicity in posttraumatic stress disorder (PTSD) and predictors of course of comorbid PTSD in patients with anxiety disorder". *Journal of Trauma Stress,* 12:89-100, 1999.

CONTATOS DA DRA. ANA BEATRIZ BARBOSA SILVA
Homepage: www.medicinadocomportamento.com.br
YouTube: www.youtube.com.br/anabeatrizbsilva
E-mail: contato@medicinadocomportamento.com.br
E-mail: anabeatriz@medicinadocomportamento.com.br
Twitter Ana Beatriz: www.twitter.com/anabeatrizpsi
Twitter Medicina do Comportamento: www.twitter.com/mcomport

Este livro foi impresso na
LIS GRÁFICA E EDITORA LTDA.
Rua Felício Antônio Alves, 370 – Bonsucesso
CEP 07175-450 – Guarulhos – SP
Fone: (11) 3382-0777 – Fax: (11) 3382-0778
lisgrafica@lisgrafica.com.br – www.lisgrafica.com.br